Por qué las mujeres necesitan chocolate

Biografía

Debra Waterhouse es una experta en nutrición; es muy famosa en Estados Unidos, donde organiza seminarios y centros de trabajo sobre control del peso, problemas de la alimentación, buen estado físico, cáncer y aspectos de la nutrición femenina, a los que han acudido más de veinte mil mujeres. Su libro anterior *¡Olvídese de la báscula!* se convirtió instantáneamente en bestseller.

Por qué las mujeres necesitan chocolate

Debra Waterhouse

- Al ver este libro pensé en ti
ya que no eres nada aficionada
a este placer de color marrón,
así que gracias a él espero que
lo descubras.

- Perdona porque en estos días
ando un poco "perdida" y no paso
por mis mejores momentos; al igual
que conseguisteis vuestro sueño: vuestro
hogar e independencia conseguirás todo
lo demás, tan sólo deséalo con fuerza.

24-07-02

M. Lole

Martínez Roca

Título original: *Why Women Need Chocolate*
Publicado por Hyperion, Nueva York

Primera edición en esta colección: mayo de 1998

Traducción de Patricia Shelly

Enric Granados, 84 - 08008 Barcelona (España)
Publicado de acuerdo con Sandra Dijkstra Literary Agency
Edición especial para Ediciones de Bolsillo, S. A.

Diseño de cubierta: BuróGràfic
Fotografía de cubierta: © Sílvia Aguado y Index

ISBN 84-8327-012-9
Depósito legal: M. 11.561 - 1998
Fotomecánica cubierta: Nova Era
Impresor: Rotapapel
Impreso en España - Printed in Spain

Para mi marido
Paul
a quien admiro, respeto, aprecio...
y quiero
todavía más que al chocolate

AGRADECIMIENTOS

Considero que soy una autora muy afortunada. Alrededor de mí tengo un grupo de personas capaces y misericordiosas que me aconsejan hábilmente, me enseñan con entusiasmo y me apoyan hasta el infinito. Estas valiosísimas gentes forman –y no de manera fortuita– el mismo equipo que ha hecho de mi primer libro un esfuerzo que mereciera la pena y por ende, el éxito.

En primerísimo lugar, Judith Riven, autora de la edición, es merecedora de algo más que un mero agradecimiento. Nunca he tenido que preguntar; siempre ha sabido anticiparse a mis necesidades y ofrecer de buena gana su apoyo, su aliento, su experiencia y su inveterada capacidad de reflexión, día tras día. Es una amiga muy querida, una profesional extraordinaria y una mujer excepcional.

Bob Miller, el editor, junto con Brian DeFiore y todo el equipo de Hyperion, han demostrado una dedicación, una fe y un compromiso sin par. Un buen manuscrito sólo se convierte en un gran libro cuando la casa editora se toma un interés personal y sincero que va más allá de la simple llamada del deber. Hyperion es el sueño hecho realidad de cualquier autor.

Millones de gracias a mi fabulosa agente literaria, Sandra Dijkstra, cuya brillantez en la gestión de proyectos, negociación de contratos y promoción en los mercados internacionales nunca ha dejado de asombrarme. Es un privilegio tenerla a ella de representante.

De mi agente profesional, Karen McElhatton, de TalkPro, en San Francisco, he recibido el más leal de los apoyos. Su gran talento para la promoción, las relaciones públicas y la gestión de mi agenda de conferencias ha impulsado grandemente mi carrera.

Mi hermana, Lori Waterhouse Erwin, madre de mis tres adorables sobrinos, que ha estado siempre dispuesta a leer capítulos al momento y ha sabido ser oportuna en los elogios, y lo que es más importante, en las críticas. Su amorosa implicación en mis escritos y conferencias es inestimable. Nunca podré agradecérselo bastante.

Mis padres, Alina y Ray Waterhouse, me han brindado toda una vida de aliento y apoyo. Cuanto más maduro, más aprecio todo lo que hicieron y siguen haciendo.

Varias amigas y colegas acudieron de inmediato a ayudarme con sabiduría femenina, aportaciones creativas y veloz lectura del manuscrito. Mi más profundo reconocimiento va para mi cuñada Laura Euphrat, mis amigas Stephanie Goulding y Mary Pat Cedarleaf, y para mis amigas y colegas doctora Elizabeth Markley Holms, Joyce Gertler, Ann Nicholson y mi colaboradora desde hace más de diez años, doctora Dee Tivenan.

Y por último, quisiera dar las gracias a los miles de mujeres que han asistido a mis seminarios a lo largo de los años. Su deseo de saber y su aceptación de mis filosofías han sido fuente de inspiración.

Introducción

¡¿QUE LAS MUJERES NECESITAN *QUÉ*?!

En todo lo que implica mi trabajo –asesorar clientes, dirigir seminarios, escribir libros– me comprometo siempre a compartir con las mujeres mensajes sinceros y confortantes. Mi primer libro, *Olvídese de la báscula* (Martínez Roca, 1995), animaba a las mujeres a aceptar el hecho de que el cuerpo femenino almacena grasas, a renunciar a las dietas, a la balanza y a los ideales impuestos por la sociedad, para trabajar en cambio con las realidades particulares de nuestro organismo. Desde el principio y hasta la actualidad mi empeño ha sido que las mujeres consiguieran un peso natural y llevadero; el mensaje, nuevo y lleno de fuerza: debemos hacer caso de lo que nos dicta el cuerpo y comprender que es la química del organismo la que nos produce los antojos. Si hemos de fomentar nuestro bienestar y perder peso debidamente, tendremos que aprender a trabajar con nuestra biología de féminas *y* con nuestros antojos.

Creo que la motivación surge de la comprensión. Si usted comprende cómo funciona el cuerpo femenino, estará facultada para cuidarse y responder cada día a las necesidades alimenticias del cuerpo, incluso cuando éste le diga que necesita chocolate.

Sí, chocolate.

No hace mucho, Susan, una de mis clientes, irrumpió en el despacho con expresión de derrota en el semblante y declaró:

–Llevo seis horas intentando resistirme a un antojo de chocolate y ya no aguanto más. He comido lo normal a la hora de comer y más tarde un par de tentempiés, pero ahora estoy irritable, deprimida y todo mi ser clama por el chocolate. ¡Necesito ayuda!

–Bien, la ayuda que necesitas está en tu mano: no te prives del antojo. Así conocerás las ventajas de un estado de ánimo equilibrado y de un aporte suplementario de energía. Los antojos de chocolate son perfectamente naturales, y a veces las mujeres necesitamos chocolate –repuse con calma.

A lo que ella replicó llena de estupor e incredulidad:

–¿Que las mujeres necesitan *qué*? Sé que las mujeres necesitamos calcio para fortalecer los huesos y hierro para la sangre, pero ni en mis mejores fantasías hubiera imaginado que las mujeres necesitamos chocolate.

Pues bien, usted, al igual que Susan, puede dejar de fantasear desde ahora mismo. Las mujeres *necesitamos* chocolate así como otros alimentos ricos en féculas, azúcar y grasas para combatir el mal humor, controlar el peso y revitalizarnos. **¡Los antojos son el medio por el que la Madre Naturaleza nos informa de que necesitamos comer un alimento concreto para tener buen aspecto y sentirnos estupendamente!**

Estoy segura de que tras la lectura de este último párrafo, las lectoras querrán conocer la explicación científica de por qué las mujeres necesitamos chocolate y cómo es posible que dar satisfacción a los antojos de comida lleve a controlar el peso y a favorecer el buen talante. Expondré todo cuanto hay que saber acerca del tema, de manera que sea posible adquirir una apreciación del delicado equilibrio del cuerpo femenino, aprender a confiar y beneficiarse de sus mensajes alimenticios, y, por último, entender muchos misterios que rodean el cuerpo de la mujer (que tras la lectura de este libro ya no parecerá tan misterioso):

- por qué el 97 % de las mujeres entrevistadas declara tener antojos
- por qué el chocolate ocupa el primer puesto en los antojos de las mujeres
- por qué los antojos se intensifican durante y después de una dieta
- por qué la negación y la restricción llevan a ganar peso
- por qué los antojos se intensifican en los días previos a la menstruación y en la transición hacia la menopausia
- por qué en las mujeres los antojos son más fuertes a media tarde y a primera hora de la noche
- por qué la dificultad para conciliar el sueño es tres veces más común en las mujeres
- por qué la depresión estacional es seis veces más común en las mujeres
- por qué las mujeres son más sensibles a las variaciones del azúcar en la sangre y, en consecuencia, necesitan comer con mayor frecuencia a lo largo del día
- por qué las mujeres no pueden culminar con éxito una dieta baja en grasas y azúcar

Así pues, ¿por qué las mujeres?

Las mujeres son maravillosamente únicas, seres siempre cambiantes y clementes. Tenemos estrógeno. Tenemos cambios de humor. Tenemos antojos. Tenemos necesidades especiales en cuanto a alimentación. Las teníamos hace mil años, las teníamos hace cien y las tenemos hoy. Cada una de estas peculiaridades físicas y emocionales es parte integral del ser mujer, y el equilibrio entre ellas es vital para la mente y el cuerpo de la mujer.

Recientemente ha surgido un nuevo campo de estudio en lo que respecta a la nutrición y la salud femeninas: el de los efectos del estrógeno y la alimentación en potentes sustancias químicas cerebrales modificadoras del estado de ánimo. En el primer capítulo ofrezco una explicación completa y sencilla, pero para los principiantes he aquí una breve retrospectiva de las investigaciones llevadas a cabo en este campo:

Hace más o menos una década, los científicos del Massachusetts Institute of Technology (MIT) comenzaron a buscar un punto de unión entre la alimentación y los estados de ánimo. Descubrieron que los alimentos de alto contenido en azúcar y fécula incrementaban una potente sustancia química cerebral llamada serotonina que propiciaba la sensación de serenidad y estabilidad general en el estado de ánimo. Sin embargo no ha sido hasta hace muy poco que ha surgido la evidencia de la relación entre alimentación y estado de ánimo en el caso concreto de las mujeres. Los investigadores de la Universidad Rockefeller de Nueva York descubrieron que los antojos de comida coincidían perfectamente con las necesidades reproductivas. Las mujeres sentían con frecuencia la fuerte apetencia de comer dulce por el efecto que el estrógeno causa en las sustancias químicas del cerebro y en los niveles de azúcar en la sangre. Este efecto explicaba por qué los antojos femeninos surgen en la pubertad, se intensifican en la premenstruación y durante el embarazo y disminuyen (pero no desaparecen) tras la menopausia.

Establecida con una sólida base científica la relación entre las mujeres y el antojo de dulce, los investigadores de la Universidad de Michigan fueron todavía un poco más lejos: las mujeres no sólo tienen necesidad de dulce por sus efectos calmantes, sino que también la tienen de grasas por sus efectos elevadores del ánimo. Se descubrió que las grasas liberan otra sustancia química cerebral, las endorfinas, que energizan la mente y mejoran el ánimo. De hecho, los antojos de comida más fuertes en las mujeres son aquellos que combinan el azúcar *y* las grasas, y el más irresistible de todos es, desde luego, el chocolate. El chocolate tiene la perfecta combinación de azúcar y grasas, además de una gran abundancia de otros ingredientes, que dan razón de su inigualable experiencia en el plano biológico y en el plano psicológico.

¡Aún hay más! Los descubrimientos de los investigadores aún se ponen más interesantes. Volviendo al Massachusetts Institute of Technology, los investigadores se ocuparon en deducir qué hacer con estos antojos de azúcar/grasas y comprobaron que la mejor manera de combatirlos es satisfacerlos de inmediato con una pequeña porción de comida de este tipo. La abstinencia y la restricción solamente servían para intensificar aún más el antojo, favorecer los atracones y deteriorar más si cabe el estado de ánimo, mientras que comer lo apetecido satisfacía el antojo, impedía comer en exceso y favorecía el buen humor. La conclusión es esclarecedora: **los antojos de comida no son un problema que merezca tratamiento, sino una bienaventuranza que debe alentarse.**

La investigación científica explica por qué las mujeres sienten una fuerte apetencia por el chocolate, el azúcar y las grasas, así como las razones vitales por las que deben satisfacerlas siempre. Cuando hagamos caso de nuestro cuerpo y nos demos permiso para satisfacer inmediatamente y sin noción de culpa nuestros antojos, nos sentiremos mejor, funcionaremos más eficientemente, comeremos menos, controlaremos el peso... y *nunca más* tendremos que ponernos a dieta.

Las investigaciones de mercado, los análisis del consumo de alimentos y los estudios estadísticos van llegando a la misma conclusión sobre las diferencias de apetitos según el género: es más probable que las mujeres compren e ingieran alimentos ricos en azúcar, frutas y postres suculentos, mientras que los hombres, en cambio, tienden más a comprar e ingerir carne, carne y carne. ¿Por qué es tan fuerte la relación entre el hombre y la carne? Biológicamente, los hombres necesitan más proteínas porque tienen más testosterona y una masa muscular mayor. En cambio las mujeres, biológicamente, necesitamos más azúcar y grasas porque tenemos más estrógenos y más grasa en el cuerpo.

En el transcurso de mis investigaciones hice una amplia encuesta sobre antojos que fue respondida por más de 600 personas. Algunos de los resultados quedan reflejados a continuación, pero a lo largo del libro también integraré la información obtenida en los capítulos oportunos. Los resultados de esta encuesta corroboran los de las anteriores investigaciones, así como revelan nuevas diferencias en antojos y apetitos dependiendo del género.

Estas diferencias hablan por sí mismas: **las mujeres preferimos, sentimos necesidad de, y comemos más chocolate, azúcar, fécula y grasas, y**

cuando damos satisfacción a nuestros antojos nos sentimos mejor.

Pese a todas las investigaciones que efectivamente corroboran la existencia y razón de los antojos femeninos y de las diferencias de apetitos según el género, el estudio de los antojos y su efecto sobre la química cerebral todavía está en pañales. Se han identificado relaciones sólidas entre unos y otra, pero aún quedan muchos interrogantes por responder. Como todos los educadores, he tomado los datos científicos más actuales y los he aplicado para beneficiar a mis clientes. Los resultados son abrumadoramente positivos y están aquí para que usted saque provecho de ellos a partir de las fases del plan «**ON**: **Ó**ptima **N**utrición para la mente y el cuerpo»:

Fase 1: Confíe en sus antojos.
Fase 2: Descubra los alimentos que le proporcionan placer.
Fase 3: Aprenda a comer buscando la máxima satisfacción.
Fase 4: Distribuya los alimentos para conseguir el mejor estado de ánimo posible.
Fase 5: Siga su rutina de alimentación óptima.

Estos cinco pasos *constituyen* las nuevas, perfeccionadas orientaciones sobre alimentación sana para mujeres. Cuando usted se haga el propósito de seguir el Plan **ON** y empiece a dar satisfacción a sus especiales necesidades de comida en tanto que mujer, aprenderá a:

- respetar su cuerpo y sus antojos
- satisfacer sus antojos *sin* sentido de culpa, *sin* comer en exceso y *sin* ganar peso

LAS MUJERES SON...	LOS HOMBRES SON...
Un 76 % más dadas a tener antojos de chocolate.	Un 78 % más dados a tener antojos de carne.
Un 71 % más dadas a tener antojos de galletas.	Un 76 % más dados a tener antojos de huevos.
Un 62 % más dadas a tener antojos de helado.	Un 69 % más dados a tener antojos de perritos calientes.
Un 62 % más dadas a tener antojos de caramelos.	Un 10 % más dados a tener antojos de pizza.
Un 65 % más dadas a tener antojos de fruta.	Un 10 % más dados a tener antojos de pescado y marisco.
Es más probable que prefieran: 1.° chocolate 2.° pan 3.° helado	Es más probable que prefieran: 1.° carne roja 2.° pizza 3.° patatas (¡El 64 % de los hombres dejaron este apartado de la encuesta en blanco!)
6 veces más dadas a «adorar» el chocolate.	5 veces más dados a «detestar» el chocolate.
22 veces más dadas a comer chocolate para sentirse mejor.	1 $1/2$ veces más dados a hacer ejercicio para sentirse mejor.
2 veces más dadas a sentirse bien cuando *satisfacen* sus antojos.	4 veces más dados a sentirse bien cuando *renuncian* a sus antojos.
2 veces más dadas a atiborrarse de los alimentos por los que tienen antojo.	2 veces más dados a seguir una dieta muy baja en grasas y azúcar.
2 veces más dadas a sentirse fatigadas y deprimidas.	2 veces más dados a sentirse satisfechos con edulcorantes y grasas artificiales.

- conseguir un peso llevadero y realista satisfaciendo sus antojos
- superar su temor a los antojos
- diferenciar sin asomo de duda entre un antojo emocional y un antojo biológico
- tener una experiencia más positiva de la premenstruación y la menopausia
- experimentar el máximo de placer y satisfacción con la comida
- encontrar el equilibrio entre el punto en que la comida aporta ventajas inmediatas en cuanto a energía y estado de ánimo, y, a largo plazo, ventajas para la salud
- descubrir la óptima rutina de alimentación que sea mejor para su cuerpo, su mente y su estilo de vida

El Plan **ON** ha demostrado ser muy útil para miles de mujeres, pero la causa por la que abogo en este libro podría parecer de entrada incongruente con los principios de la buena nutrición que universalmente se aceptan. Es posible que la lectora se detenga en mitad de una línea y piense: «¡Un segundo! Todo lo que leo, oigo y miro me dice que la grasa tiene la culpa de todo, el azúcar es la muerte blanca y el chocolate el alimento más decadente de este mundo. ¿No me volveré obesa y moriré del corazón, de cáncer y de diabetes a la vez?»

Cabe morir de todo eso si se comen estos alimentos en grandes cantidades y a todas horas, pero no será así si confía en sus antojos, responde inmediatamente a ellos ingiriéndolos en pequeñas porciones, y se sirve de ellos para equilibrar la química cerebral y los estados de ánimo. Tal como descubrirá (y quizá alguna de ustedes con cierta desilusión), los antojos biológicos pueden satisfacerse con cantidades asombrosamente pequeñas de comida. Cuando empiece a satisfacer esos impulsos, comprobará que los mensajes son sutiles y completamente manejables. Y lo que es aún más importante, será usted una persona más feliz.

Es cuando *no* se satisfacen los antojos de comida que éstos pueden volverse incontrolables. Absteniéndose, la necesidad percibida pasa a ser una tableta entera de chocolate en vez de una porción, una bolsa de patatas fritas en lugar de un puñado, una tarrina grande de helado en vez de una cucharada, o una barra de pan en lugar de una rebanada. Entonces es cuando se gana peso y aumenta el riesgo de enfermedad.

El Plan **ON** es la solución a comportamientos que llevan a comer descontroladamente y a la eterna lucha contra el aumento de peso. Pero déjenme un momento para decir lo que no es el Plan **ON**. *No* es una excusa para comer chocolate mañana, tarde y noche. *No* es la solución a desarreglos emocionales que se combaten comiendo. Aunque las ayudaré a distinguir entre un antojo emocional y un antojo biológico, aquellas mujeres que suelen comer por motivos emocionales deben primero identificar y aceptar los mecanismos emocionales que las llevan a adoptar esta conducta antes de poder sacar provecho de esta propuesta. El Plan **ON** *tampoco* es la respuesta a la depresión clínica, el síndrome de fatiga crónica, las adicciones, el Desorden Afectivo Estacional, la bulimia ni la compulsión por comer en exceso. Sin embargo, la mayoría de las mujeres no llegan a los extremos. Existen diversos grados de depresión, fatiga y distorsión en el comportamiento con la comida; aquí *sí* que el Plan **ON** ayudará a la lectora a establecer una relación más saludable con su mente y con su cuerpo.

A lo largo de este libro iré compartiendo comentarios, experiencias y anécdotas de muchos clientes y asistentes a seminarios. Para concluir esta introducción, expondré la experiencia de una clienta con el Plan **ON**.

Susan, la mujer que al principio exclamara incrédula «¡¿Que las mujeres necesitan qué?!» aportando así el título de la introducción, pudo por último cambiar su vida con el Plan **ON**. «Recuerdo que mi madre, cuando yo era niña, siempre me prohibía comer chocolate o cualquier cosa con azúcar por miedo a que engordara y me volviera como ella. A los doce años, acostumbraba esconder galletas bajo la cama y chocolatinas entre los arbustos del jardín. A los treinta y cinco años, aún ocultaba estos alimentos a mi marido y me atiborraba de ellos cuando no había nadie en casa. Acosada por la culpa, intentaba corregirme de vez en cuando y entonces me bebía seis latas de gaseosa dietética para conseguir mi dosis de azúcar. Una vez probé incluso con la hipnosis, pero nada daba resultado. Estaba descontrolada, descontenta, irritable, de mal humor, y lo pagaban mi marido, mis hijos y mis compañeros de trabajo.

»Nunca pensé que alguna vez pudiera estar en paz con la comida, con mi mente y con mi cuerpo, pero ahora tengo ganas de cuidarme por primera vez en mi vida. Siguiendo el Plan **ON**, me siento nueva. Hago caso de mis antojos y los satisfago enseguida. Ya no necesito el paquete de galletas ni la caja de chocolatinas; me basta con un par de galletas o una porción de chocolate, para ocuparme de las tareas cotidianas con vitalidad y energía renovadas. Es más: de hecho he perdido peso y he recobrado el respeto de mi familia y amigos. Sé que esto es lo bueno para mi cuerpo porque me siento demasiado bien como para que no lo sea.»

También usted puede experimentar todas las ventajas que tiene fiarse de sus femeninos antojos de comida y satisfacerlos. Puede aprender a disfrutar plenamente de la comida sin tener sentimientos de culpa, sin ganar peso y sin perder el control. Está en su mano conseguir placer, satisfacción, un cuerpo sano y una mente feliz...¡todo a la vez!

Continúe leyendo y aprenda a seguir sus instintos alimenticios y a satisfacer sus antojos. ¡Deje que las propiedades naturales de la comida mejoren al máximo su estado de ánimo, propulsen su nivel de energía y la revitalicen!

1

EL DON DE EVA: LOS ANTOJOS FEMENINOS

Está sentada a su mesa de trabajo escribiendo una carta cuando de repente surge un antojo. Puede ser de chocolate, de caramelos, de pollo o de comida china, pero ahí está, es irresistible y pide cumplida satisfacción.

De otras veces ya sabe que si pretende ignorar el antojo sólo conseguirá que éste se intensifique y usted se distraiga, de manera que en lugar de hacerle caso omiso, opta por dejar lo que está haciendo y satisfacer el antojo. Cuando vuelve a la mesa, percibe claramente varios cambios significativos: el antojo ha desaparecido, usted se siente mejor, y también tiene más energía y creatividad para culminar lo que debe acabar.

Ha sido una sabia elección. Ha respondido a un antojo de comida.

Ciertos antojos son exclusivos de nuestro género y se manifiestan por razones vitales. Son mensajes de nuestro cuerpo que nos informa de que necesitamos comer un alimento concreto para sentirnos mejor y funcionar mejor. Cuando hacemos caso de estos mensajes y respondemos a los antojos satisfaciéndolos, asombra su capacidad de:

- elevar los ánimos cuando estamos abatidas
- recargarnos de energía cuando estamos fatigadas
- abastecer nuestro cuerpo cuando necesitamos nutrición
- serenar los nervios cuando estamos estresadas
- estabilizar nuestro humor en los días previos a la menstruación
- vigorizar la mente cuando estamos en la menopausia

Pero por desgracia, en la descripción de los antojos raramente se incluyen estas cualidades beneficiosas. El diccionario define la palabra *antojo* como «un deseo anormal».* ¿Anormal? No, sobre todo cuando se trata de mujeres y de comida. Para la fisiología femenina los antojos de comida son perfectamente naturales y normales. Arrancan de necesidades bio*lógicas* reales: de lo que es *lógico* para el cuerpo. Cuando biológicamente uno necesita algo, procura satisfacer esa necesidad. Cuando necesita dormir, se va a la cama. Cuando necesita calentar el cuerpo, se pone un jersey. Cuando usted necesite chocolate, *debería* comerlo.

Quizá algún día el diccionario agregue un nuevo vocablo:

Antojo femenino de comida: necesidad normal biológica por un alimento concreto que equilibra el cuerpo y la mente de la mujer y la revitaliza.

* La traducción respeta la definición dada por la autora, pero el Diccionario Ideológico de la Lengua Española, de Julio Casares, define «antojo» como «Deseo vivo y pasajero; capricho, (y especialmente el que suelen tener las mujeres durante la preñez)», es decir no lo califica propiamente de «anormal». *(N. de la t.)*

Tal vez parezca demasiado bueno para ser cierto, pero todas las investigaciones están demostrando que los antojos de comida femeninos son un don. Existen mensajes que no podemos y no debemos ignorar.

Los antojos forman, pues, parte natural del hecho de ser mujer.

¿Por qué las mujeres?

Podemos agradecer a la hormona sexual femenina, el estrógeno, y a nuestras vivificadoras funciones de la gestación y la lactancia ese saber alimentario innato que nos pone en estrecha comunicación con las necesidades de nuestro cuerpo. Dentro del cerebro, el centro del apetito está justo al lado del centro reproductivo, y en buena vecindad los dos procuran mantener sano el cuerpo femenino. La posición que ocupan estos dos centros no es fortuita; los antojos aseguran que nuestro cuerpo posea las grasas suficientes para la fertilidad, que nos nutramos adecuadamente para tener un cuerpo sano, que los niveles de azúcar en sangre sean estables para mantener la energía y que las sustancias químicas cerebrales estén equilibradas para gozar de un humor estable.

Lo que las mujeres ansían biológicamente es un reflejo de lo que el cuerpo femenino necesita en el plano biológico.

- A veces ansiamos comer alimentos concretos que mejoren nuestro estado nutricional, como por ejemplo las naranjas por su alto contenido en vitamina C.
- A veces ansiamos comer aquellos alimentos concretos que mejoran los niveles de azúcar en san-

gre, como por ejemplo pan o dulces por su alto contenido en carbohidratos.

- Y a veces ansiamos comer aquellos alimentos concretos que acrecientan las sustancias químicas del cerebro, como por ejemplo las grasas, el azúcar, la fécula y, por supuesto, el chocolate por el notable efecto que surten sobre la química cerebral.

La relación entre química cerebral y antojo de comida constituye un nuevo y estimulante campo de investigación, que merece una breve explicación en este primer capítulo. No hay de qué preocuparse: la explicación bioquímica será corta y sencilla, con los únicos rudimentos necesarios para estar en condiciones de apreciar cómo funciona el cerebro femenino y cómo los alimentos pueden afectar positivamente a las sustancias químicas del cerebro y en consecuencia, al estado de ánimo.

Mediante los mensajes de las sustancias químicas cerebrales llamadas neurotransmisoras, el cerebro realiza un trabajo de fábula al comunicar exactamente lo que necesita para su óptimo funcionamiento. Estas sustancias químicas «transmiten» mensajes de una célula cerebral (neurona) a otra. Existen cientos de neurotransmisores, pero al parecer dos son los más importantes para la comunicación neuronal femenina, la estabilidad de ánimo y los antojos de comida:

La serotonina es la sustancia química que se libera tras comer carbohidratos y que transmite serenidad y estabilidad de ánimo a las neuronas.

Las endorfinas son las sustancias químicas que se liberan tras comer grasas y chocolate y que transmiten altos niveles de energía y euforia a las neuronas.

La serotonina y las endorfinas son las sustancias químicas cerebrales de «estar bien», y los carbohidratos, las grasas y el chocolate son los alimentos de «estar bien». Todos trabajan al unísono para que usted tenga el mejor aspecto y se sienta en la mejor de las formas. En el capítulo 5, ofreceré en profundidad una explicación de cómo unen fuerzas, pero permítanme poner ahora un ejemplo que familiarice al lector con estas sustancias.

Cuando el nivel de serotonina de las neuronas está bajo, éstas quedan privadas de la capacidad de enviar los mensajes de «estar bien» y, por consiguiente, usted se siente irritable y malhumorada. Biológicamente usted ansía fécula (pan, pasta, patatas) o azúcar (dulces, refrescos, fruta, zumos de fruta) para incrementar la serotonina y equilibrar el estado de ánimo. Y lo que es más importante, cuando usted responde a sus antojos, la recompensa es grande. Usted está en calma y es productiva.

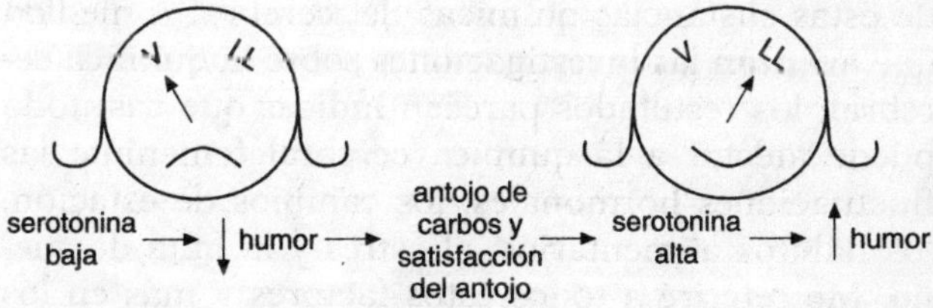

Las endorfinas actúan de una manera similar a la serotonina. Cuando los niveles de endorfina están bajos en las neuronas, usted se siente crispada y fatigada. Biológicamente ansía grasas o chocolate para incrementar las endorfinas; cuando usted satisface los antojos, rellena el tanque de «estar bien» y los ánimos se elevan.

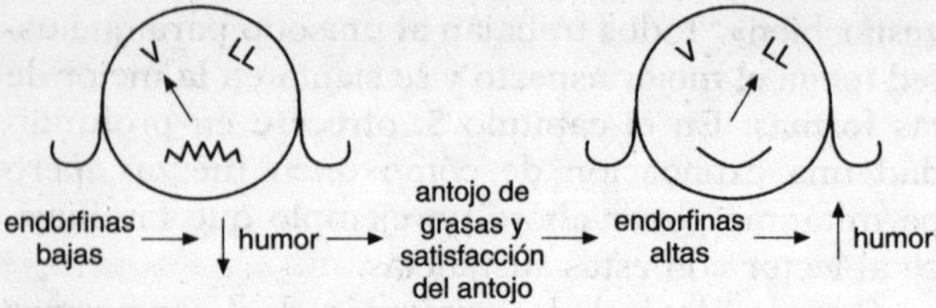

Es perfectamente posible que ambas sustancias se agoten simultáneamente, de manera que sintamos el antojo de comer azúcar y grasas a la vez. En realidad, es más que posible. Las investigaciones revelan que las mujeres somos más dadas a tener antojo de una combinación de azúcar/grasas que de tenerlo sólo de azúcar o sólo de grasas. ¡No debería sorprendernos saber, pues, que el chocolate es la perfecta combinación de azúcar y grasas!

Tal vez se pregunte qué provoca el desequilibrio de estas sustancias químicas del cerebro. A medida que avanzan las investigaciones sobre la química cerebral, los resultados parecen indicar que casi todo puede afectar a la química cerebral femenina: las fluctuaciones hormonales, los cambios de estación, los hábitos alimentarios, el estrés y la falta de sueño. Me referiré a todos estos factores y más en los próximos capítulos. Pero sea cual sea la causa de los cambios en la química cerebral, usted ahora sabe que puede devolver rápidamente el equilibrio al cuerpo y a la mente respondiendo a sus antojos de comida.

A continuación, quiero hacer comprender por qué las mujeres nacen para estar biológicamente sintonizadas con sus necesidades alimenticias. Nuestra necesidad y deseo de ciertos alimentos van más allá del bienestar físico y mental; se trata de una necesidad primaria: la supervivencia. Casi todo tiene un fundamento biológico y la explicación a los antojos de comida femeninos se remonta a los ciclos de festín-y-hambre de antaño.

Ya que las mujeres son responsables de la supervivencia de la raza humana, el cuerpo femenino ha evolucionado de manera que hace todo lo posible para sobrevivir al hambre: almacena grasas con eficiencia, libera grasas con renuencia, y tiene antojo de alimentos hipercalóricos a fin de que la grasa almacenada sea la suficiente para que seamos fértiles y llevemos un niño en gestación durante nueve meses.

Lo más probable es que nuestros antojos de comida surgieran para animarnos a ingerir los alimentos más hipercalóricos disponibles, de manera que incluso en plena hambruna tuviéramos las calorías necesarias para sobrevivir y para almacenar. Hace miles de años, eran las bayas más dulces y las carnes más grasas de los animales las que estimulaban la liberación de las placenteras sustancias químicas del cerebro –serotonina y endorfinas–, y estas sustancias nos hacían sentir tan bien que en cuanto teníamos la oportunidad deseábamos ir en busca de alimentos hiperdulces e hipergrasos para recargar energías y mejorar el estado de ánimo.

Hoy en día todavía vamos en su busca, pero no tenemos que ir muy lejos. Puede que no tengamos antojo de bayas dulcísimas o de grasas animales, pero lo seguimos teniendo de los alimentos hiperdulces y/o hipergrasos: caramelos, fruta, rosquillas, bizcochos, galletas, tartas, helados, patatas fritas, bollos de crema y chocolate.

–¿Dices que las mujeres necesitamos chocolate por una cuestión de supervivencia? –me preguntó Abby, una de mis clientas–. ¿Debería incluir medio kilo de chocolate en el equipo de supervivencia posterremotos?

(Estas cosas se nos ocurren porque vivimos en California y, bien pensado, no sería mala idea lo del chocolate.) Las mujeres necesitamos almacenar abundante grasa en el cuerpo por cuestiones de supervivencia, y si ocurriera una catástrofe natural, está claro que tendríamos antojo de chocolate tan pronto como se pusiera en marcha nuestro mecanismo de supervivencia.

Resumo el fundamento biológico de los antojos de comida femeninos. Sentimos el imperioso deseo de comer determinados alimentos por:

1. nuestro instinto de supervivencia del cuerpo: **almacenar, almacenar, almacenar**
2. la hormona femenina –el estrógeno–, y nuestras funciones especiales de gestación y lactancia
3. nuestras necesidades de azúcar en sangre
4. nuestras necesidades de nutrición
5. necesidades de las sustancias químicas del cerebro y relación entre comida y estado de ánimo

Las fuerzas que dictan las necesidades alimenticias femeninas son biológicamente innatas. Por eso no pueden controlarse los antojos ni combatirlos con fuerza de voluntad; en cambio sí pueden manejarse y experimentarse con la «voluntad» de «fortalecer» nuestro cuerpo y mente ingiriendo los alimentos idóneos para nuestra constitución.

Y –tal como resalta el título de este libro– el chocolate parece «fortalecer» el cuerpo y la mente femeninos más que ningún otro alimento.

¿Por qué precisamente el chocolate?

La prueba está en las secciones de la tarta (de chocolate):

- el 97 % de las mujeres encuestadas declaran tener antojos de comida, de las cuales un 68 % lo tienen de chocolate
- el 50 % de las mujeres encuestadas dicen que elegirían antes el chocolate que el sexo
- las mujeres son 22 veces más dadas que los hombres a elegir el chocolate para elevar el ánimo
- anualmente se gastan en chocolate 3,4 millones de dólares, de los cuales la mayoría salen de los monederos de las mujeres

Cuando encuesta tras encuesta, estudio tras estudio y ensayo tras ensayo se descubre que el antojo número uno de las mujeres es el chocolate, seguido por alimentos como el helado, los dulces y el pan, es que *debe* existir una razón. Ningún estudio revela que las mujeres sientan el imperioso deseo de comer tofu, carne enlatada o queso fresco de régimen, como tampoco ningún estudio revela que el principal antojo de los hombres sea el chocolate o los caramelos. Consecuentemente, son las mujeres tan sólo quienes tienen antojo de estos alimentos.

¿Qué hace del chocolate algo tan especial para el cuerpo y la mente de las mujeres?

Nuestra eficiente química cerebral y nuestro mecanismo de supervivencia justifican en gran medida los antojos, pero para la anatomía del deseo de chocolate no es lo único. El sabor, el hábito, el vínculo emocional y las influencias culturales también definen a los alimentos de los que tenemos antojo. **La experiencia psicológica interviene tanto como el fenómeno biológico.**

Tratemos primero el fenómeno biológico. El 50% de las calorías del chocolate corresponden al azúcar, lo que hace aumentar los niveles de serotonina del cerebro. Aproximadamente la otra mitad de las calorías corresponde a las grasas. Por tanto, el chocolate puede incrementar al mismo tiempo los niveles de endorfina; el resultado es potente: todas las sustancias químicas del cerebro alcanzan niveles óptimos que propician un buen talante y recargan de energía.

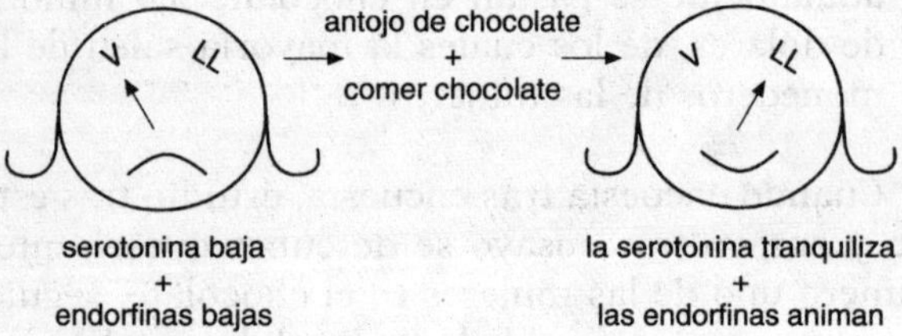

Usted pensará que este efecto positivo sobre las sustancias químicas del cerebro ya es bastante, pero en la experiencia biológica el chocolate aporta algo más; contiene otros compuestos que pueden afectar positivamente a la función cerebral.

- contiene feniletilamina, una sustancia química que se libera en el cerebro cuando nos enamoramos. Todavía se está investigando si se trata o no de la misma sustancia, pero la posibilidad de que sea la misma podría explicar por qué el 50% de las mujeres encuestadas dicen que preferirían el chocolate al sexo

- contiene teobromina, una sustancia similar a la cafeína que afecta positivamente a la función cerebral, aumentando nuestra agudeza mental, concentración y funcionamiento cognitivo
- contiene magnesio, un mineral que interviene en la producción de serotonina y en la estabilización del humor

–¡Claro! En algún sitio he leído que las mujeres necesitamos chocolate porque tenemos déficit de magnesio –exclama Kathryn, una clienta a la que le encanta el chocolate.

Cuando le explico que tendría que comerse unas doce chocolatinas al día para obtener la dosis recomendada de magnesio, su respuesta es rápida:

–No hay problema.

Si el cuerpo femenino clamara verdaderamente por el magnesio, iríamos a buscar cosas como las acelgas o las espinacas. Así pues, no es sólo el magnesio, sino tal vez la combinación de todos los elementos físicos del chocolate los que suscitan una respuesta biológica tan placentera: el azúcar, las grasas, la feniletilamina, la teobromina y el magnesio. Por no mencionar que el chocolate procede del árbol Theobroma, que significa «alimento de los dioses».

Vamos ahora con los elementos metafísicos del chocolate que explican la experiencia psicológica.

- tiene un punto de fusión de 36 ºC, justo un grado por debajo de la temperatura del cuerpo, de manera que se derrite inmediatamente y complace a las papilas gustativas de una forma que ningún otro alimento consigue

- posee una mezcla de más de 500 sabores (2 ½ veces más que ningún otro alimento), de modo que sus propiedades sensoriales no tienen parangón con el resto de los alimentos
- desde nuestra infancia ha sido el premio por excelencia, y nos lo daban cada vez que ordenábamos el cuarto o nos comíamos la verdura
- desde niños nos lo han dado por sus propiedades medicinales, lo mismo cuando nos despellejábamos la rodilla que cuando estábamos tristes
- continúa siendo el regalo más frecuente para manifestar amor, afecto y gratitud

Algunos investigadores opinan que esta experiencia psicológica es la principal responsable de nuestro idilio con el chocolate. Otros opinan que la responsabilidad recae sobre todo en el fenómeno biológico. Mi opinión es que la conjunción de ambas cosas da origen al romance.

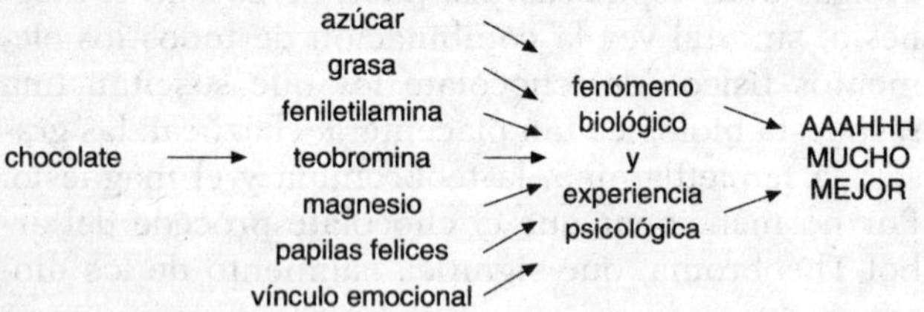

La inigualable experiencia psicológica y biológica que nos brinda el chocolate se conoce desde hace siglos. Los aztecas descubrieron el cacao y los placeres de su brebaje, pero prohibieron a las mujeres consumirlo porque consideraban que la bebida era afrodisíaca (¡seguramente la feniletilamina!). Sin embargo, las mujeres no respetaron demasiado tiempo esta restricción; hacia el año 1518 los nobles españoles disfrutaban del chocolate, y poco después sería introducido en Europa y más allá de sus fronteras.

Algunas mujeres no sienten necesidad de comer chocolate, y con frecuencia me preguntan si es que bioquímicamente tienen algo que anda mal. Nada de eso. Si usted no tiene antojo de chocolate, será otro alimento rico en azúcar y grasas el que satisfaga las mismas necesidades biológicas y psicológicas.

Sean cuales sean los alimentos por los que usted tenga antojo, ya hemos tratado las razones por las que los necesita y por las que debe hacer caso de su cuerpo y responder a sus necesidades biológicas especiales... todos los días. Sin embargo, hay ciertos días en que los antojos son más fuertes y reclaman una especial atención: los pocos días previos al comienzo del período y los muchos, muchos días de la transición hacia la menopausia.

SPM: Síndrome premenstrual

Hace más de cuarenta años, la doctora Katrina Dalton acuñó el término *SPM* (acrónimo de síndrome premenstrual). Desgraciadamente, se ha convertido en un término con connotaciones negativas. Pocos días antes de comenzar el período a muchas nos tildan de irritables, malhumoradas, emocionalmente inestables e irracionales.

A veces, estos calificativos pueden acercarse algo a la realidad (aunque se exageran mucho), pero yo prefiero tratar este síndrome desde un punto de vista más positivo, postulando en favor de la creatividad y la clemencia en lugar de acrecentar la confusión y el caos. ¿Cómo? **Satisfaciendo los antojos y respetando las emociones exaltadas, las mujeres podemos**

introducir equilibrio en nuestros ritmos mensuales y en las sustancias químicas del cerebro.

El SPM no es un desarreglo. No es una enfermedad. No es una dolencia psicológica. Es un suceso biológico natural que la mayoría de las mujeres experimentamos todos y cada uno de los meses. Solamente varía el grado de intensidad con que lo experimentamos. Incluso si mes tras mes usted tiene síntomas premenstruales magnificados, el SPM es manejable; basta con saber percibir las alteraciones de humor y responder a los antojos.

Joanne era una incrédula. No le cabía en la cabeza que el SPM pudiera parecerse ni remotamente a nada positivo. En sus propias palabras: «No es que la vida sea una fatalidad tras otra; es la misma fatalidad repetida hasta el infinito.» Pero la explicación siguiente convenció a Joanne de que en su mano estaba equilibrar las alteraciones de humor en los días previos a la menstruación así como sus niveles de energía.

La explicación para los más de 150 cambios que las mujeres pueden experimentar durante esos días previos reside en las fluctuaciones hormonales y en los cambios en la química cerebral. A lo largo del ciclo menstrual, los niveles de estrógeno y progesterona van variando; esto es lo que puede suceder con los niveles de serotonina del cerebro:

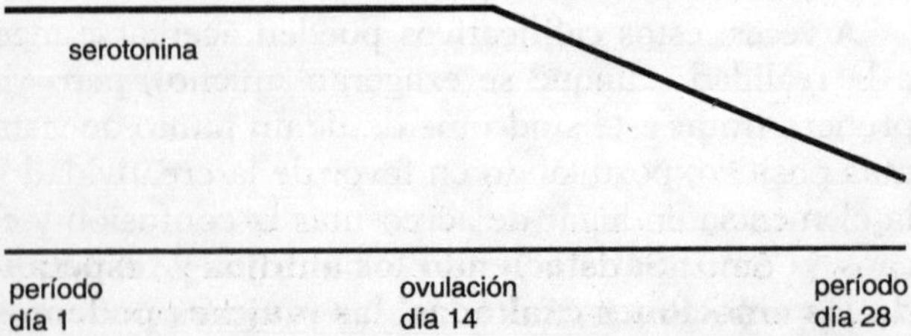

Tras la ovulación, durante las dos últimas semanas del ciclo, desciende el nivel de serotonina del cerebro, provocando un bajón de estado de ánimo y de energía. Deseamos azúcar con mayor frecuencia como medio natural para incrementar los niveles de serotonina y conseguir serenidad y estabilidad de ánimo. Como los niveles de serotonina son muy bajos unos días antes del período, es entonces cuando nuestro antojo de azúcar es más fuerte. Comprendiendo estos cambios biológicos, anticipándonos a ellos y respondiendo a los antojos, se pueden aumentar los niveles de serotonina y lograr una experiencia premenstrual más positiva.

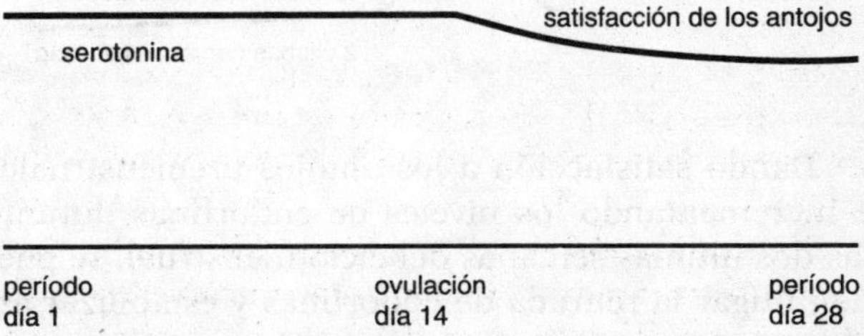

El azúcar no es el único alimento que las mujeres desean imperiosamente en los días anteriores al período. No cabe la extrañeza si digo que el antojo por excelencia es el chocolate. Es más probable que se nos antojen los bombones que las piruletas, antes comeremos helado de chocolate que polos de naranja. Nuestro cuerpo nos dirige hacia el azúcar y la grasa para liberar serotonina *y* endorfinas en el cerebro.

En la ovulación pasa algo más que me gustaría contar. Se trata de la «ola de endorfinas», un breve lapso de tiempo de unas cuarenta y ocho horas en el que las endorfinas suben espectacularmente para luego descender a los niveles normales. A lo largo de las dos últimas semanas del ciclo menstrual, el cuerpo y el cerebro se van retirando de las altas endorfinas. Es como dejar una droga. A medida que nos retiramos de las endorfinas, nos volvemos apáticas y ansiosas, y sentimos el deseo de comer chocolate y otros alimentos ricos en grasas.

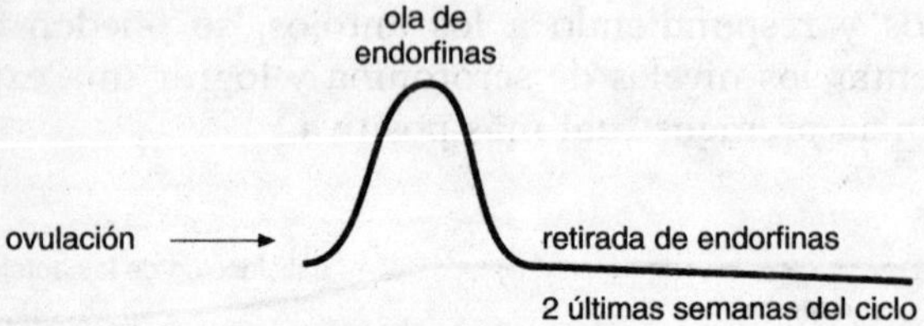

Dando satisfacción a los antojos premenstruales e incrementando los niveles de endorfinas durante las dos últimas semanas del ciclo menstrual, se puede mitigar la retirada de endorfinas y estabilizar así el humor.

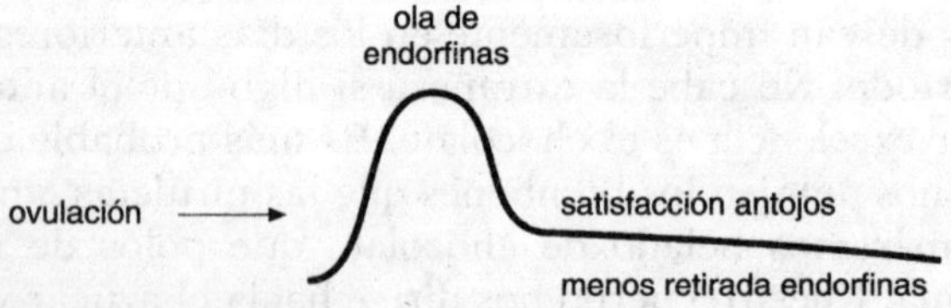

Quizá se pregunte el porqué de esta ola de endorfinas. Pues bien, tiene sus propósitos reproductivos y probablemente se originó para que la concepción pudiera tener lugar. Las endorfinas le hacen a una sentirse magníficamente y ya que sólo somos fértiles cuarenta y ocho horas cada mes... ¡hagamos lo que se supone que hacemos cuando somos fértiles, y fertilicemos ese huevo!

Sí, las endorfinas aumentan el impulso sexual. También ponen la piel vibrante, hacen el pelo más manejable y la mente más creativa. De pequeña, recuerdo que mi madre me decía que las mujeres tenemos dos días excepcionales al mes. Esta manera de ver las cosas se basaba en un saber intuitivo, y su teoría se ha demostrado ahora con el descubrimiento de la «ola de endorfinas». Según mi madre, esas 48 horas habría que aprovecharlas para programar la asistencia a todos los acontecimientos sociales, entrevistas, reuniones importantes y apariciones en televisión. Al principio de mi carrera profesional intenté seguir el consejo de mi madre, pero el estrés que me producía una agenda tan apretada iba en detrimento de cualquier ventaja que las endorfinas me ofrecían.

–Ahora ya me explico por qué cuando empiezo con el período me siento normal, por qué a mitad de ciclo, mientras ovulo, me encuentro en plena forma y por qué antes del período estoy sensible, emotiva y vendería mi alma a cambio de chocolate –dice Samantha.

Ha comprendido por fin que siempre debería hacer caso de sus necesidades instintivas de comida y responder a sus antojos. Ahí reside la clave para que los días previos al período sean más llevaderos.

Menopausia: vigorizar la mente

Otro momento de nuestra vida en que nos asiste un innato saber alimentario y nos asaltan imperiosos los antojos es durante la transición hacia la menopausia. Igual que el SPM, la menopausia es un suceso biológico natural por el que pasan *todas* las mujeres, o como dice Karen:

–He reflexionado sobre la conocida frase de que hay dos cosas inevitables en la vida: los impuestos y la muerte. En realidad son tres: los impuestos, la muerte y la menopausia.

Karen es el ejemplo de mujer que jamás tuvo antojo de chocolate hasta que empezó la transición a la menopausia o, como la llamamos ahora, perimenopausia, que por cierto, puede durar desde 6 meses a 15 años.

Son muchos los factores que influyen en la duración e intensidad de la experiencia menopáusica y muchos los cambios biológicos que acaecen en el cuerpo de la mujer durante esa fase. Por desgracia, nuestra sociedad siempre ha contemplado estos cambios desde un punto de vista negativo: pérdida de femineidad y juventud, pérdida de cordura, y «principio del fin de la vida». Estas frases *no* explican con precisión lo que es la experiencia menopáusica, y estoy convencida de que es importante adoptar un punto de vista más positivo. La mayoría de las mujeres recibe con alivio el hecho de no tener más períodos ni preocuparse más de los anticonceptivos. Además, aproximadamente el 20 % de las mujeres experimentan cambios *positivos* durante la menopausia: más energía, más productividad y más impulso sexual.

–¿Por qué no estoy entre ese 20 %? –pregunta Karen.

Le explico que en cada mujer la perimenopausia es diferente, y que por desgracia, a cada momento nos están recordando los cambios negativos: la depresión, la ansiedad, las alteraciones del humor, la fatiga, los repentinos accesos de calor, el aumento de peso y un mayor riesgo de enfermedad.

Y no olvidemos la falta de memoria. Después de haber tenido una sesión con ella, Karen llama unas horas más tarde para decirme:

–Con esto de la menopausia había olvidado comentarte mi pérdida de memoria.

Las dos nos echamos a reír, pero también sabemos que este síntoma es real y puede afectar la vida de una mujer.

Es perfectamente natural tener cierta pérdida de memoria durante la perimenopausia y a medida que vamos cumpliendo años. Si usted olvida dónde ha puesto las llaves del coche y las busca frenéticamente por toda la casa, es natural. Si se queda mirando fijamente el manojo de llaves y no recuerda para qué sirven, la cosa cambia por completo y es cuestión de comentárselo sin tardanza al médico.

En la perimenopausia, todos los cambios que se producen en el cuerpo y la mente de la mujer encuentran su razón de ser en las fluctuaciones de las hormonas sexuales femeninas. Muchos cambios de humor pueden ser debidos a un descenso de serotonina cerebral causado por la disminución de estrógeno. Este descenso explica la mayor intensidad de los antojos de azúcar mientras el cerebro intenta devolver la serotonina a sus niveles normales. Pero ¿qué pasa con los antojos de chocolate y de grasas?

Volvamos con la ola de endorfinas de la ovulación. El cuerpo de la mujer trata de mantenerse fértil durante la perimenopausia y de seguir produciendo óvulos. Mientras el cuerpo intenta ovular, la producción de hormonas que estimulan la emisión del huevo –la hormona que estimula el folículo y la hormona luteinizante– es mayor. Una explicación es que cuanto más alto sea el nivel de las hormonas, mayor es la ola de endorfinas; cuanto mayor la ola de endorfinas, más cuantiosa la retirada de endorfinas y por tanto, más intensos los antojos de chocolate.

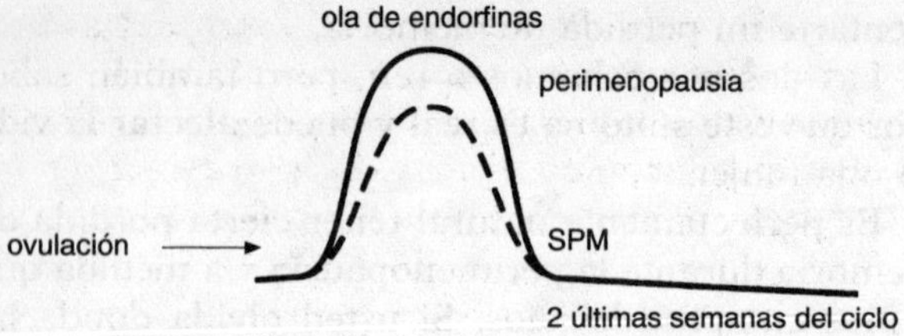

Los cambios que experimenta el cuerpo de la mujer durante la menopausia son naturales y biológicamente comprensibles: las alteraciones de humor, los cambios en el cuerpo, incluso el aumento de peso. El promedio de aumento de peso es de unos 5,5 kilos, y puede que no sea lo ideal pero prácticamente todas las mujeres ganan algunos kilos. Si todas las mujeres aumentan de peso durante la menopausia, es que debe de haber una razón. De hecho, hay dos razones.

1. **Suministrar una fuente natural de estrógeno.** Cuando los ovarios dejan de producir estrógeno, las células grasas lo sustituyen y se erigen en la principal fuente de producción de estrógeno en las mujeres posmenopáusicas. La Madre Naturaleza nos proveyó de un medio natural de producción de estrógeno, y a eso contribuye el aumento de peso. Por consiguiente, parte de la grasa acumulada durante la menopausia es necesaria. La terapia de reposición de hormonas sola-

mente existe desde hace unos cuarenta años, pero la capacidad de las células grasas para producir estrógeno existe desde siempre.

2. **Reducir el riesgo de osteoporosis.** Tener algo más de peso es también beneficioso para la salud. El riesgo de osteoporosis y fracturas óseas aumenta durante y después de la menopausia. Cuanto más peso corporal desplaza usted, más fuertes se vuelven los huesos para soportar ese peso de más. Esto implica, por supuesto, que usted ponga el cuerpo en movimiento.

–Así pues, la próxima vez que vaya al médico y me diga que he vuelto ha engordar desde el año pasado, ¿puedo ponerme firme y decir a bocajarro que he engordado a propósito para prevenir la osteoporosis?

Claro que puede decirlo, pero probablemente el médico no se lo admitirá. Hay otras opciones para fortalecer los huesos, como por ejemplo ejercicios de carga de pesos y una dieta rica en calcio.

Para las mujeres perimenopáusicas, lo que asegura el ganar algo de peso, equilibrar las variaciones en las sustancias químicas del cerebro, mitigar los cambios de humor y vigorizar la mente es obrar en consecuencia con los antojos de alimentos altos en contenido calórico, como son el chocolate, el azúcar y las grasas.

–¿Por qué los hombres no tienen estos ciclos mensuales ni este «cambio de vida»? –pregunta Jan–. ¿O sí los tienen?

Algunos estudios revelan que los hombres también experimentan mensualmente diversas fluctuaciones hormonales, que apropiadamente reciben el nombre de síndrome pretestosterona o SPT.

Incluso hay investigaciones que demuestran la existencia de un tipo de menopausia masculina en que los niveles de testosterona decrecen notablemente entre los 40 y los 60 años. Durante la menopausia masculina pueden darse algunos cambios de humor, pero el síntoma más común es una disminución de la virilidad, y hasta se han hecho chistes diciendo que todo lo que sube tiene que bajar, pero para la mayoría de los hombres, a la larga, no todo lo que baja puede subir.

Y hablando de hombres, ¿tienen como nosotras antojos de determinados alimentos?

Si las mujeres necesitan chocolate, ¿qué necesitan los hombres?

Cuando hago esta pregunta en los seminarios, las mujeres suelen exclamar sin dudarlo: «¡Cerveza!»; y los hombres responden más serenamente: «Carne.» Me parece que la cerveza no está incluida en las encuestas sobre los antojos, de modo que no puedo hacer comentario alguno sobre lo exacto de esta respuesta, pero la carne y otros alimentos proteínicos siempre se incluyen en las encuestas y es de lo que al parecer todos los hombres tienen antojo. Pero ellos no lo suelen llamar así; los llaman «preferencias alimentarias», porque ni su deseo ni su necesidad son tan fuertes como en nuestro caso.

Los alimentos de los que con más frecuencia tienen antojo/prefieren los hombres son la carne, los perritos calientes y los huevos, todos ellos alimentos proteínicos. Las mujeres, por su parte, tienen antojos de chocolate, helado y pan. Los dos sexos no podían ser más diferentes.

Piense en los hombres de su vida:

- ¿Cuántas veces les ha visto bajar a la calle a cualquier hora para darse un antojo de chocolate o helado?
- ¿Cuántas veces les ha visto atiborrarse de galletas cuando están descompensados de hormonas o han tenido un día duro?
- ¿Cuántas veces les ha visto arrellanados en su sillón favorito saboreando a placer una trufa de chocolate?

Probablemente no muy a menudo. Pero seguro que les ha visto comer filete y huevos para desayunar, perritos calientes a mediodía y carne con patatas para cenar.

La diferencia de hormonas sexuales y de constituciones del hombre y de la mujer, explican los distintos antojos alimentarios de unos y de otras. Ahora ya sabemos que las mujeres tienen cantidades mayores de estrógeno, células grasas más grandes y antojos de azúcar y grasa. Por su parte, los hombres tienen cantidades mayores de testosterona, células grasas más pequeñas y unos 18 kilos más de masa muscular. De la pubertad en adelante, los hombres comen más proteínas porque su cuerpo las necesita para formar, reparar y sintetizar músculo.

Biológicamente, los hombres necesitan más proteínas; biológicamente, las mujeres necesitan más azúcar, grasas y chocolate.

El don de Eva

Todos los cambios que acaecen a lo largo de la vida son naturales, biológicos y científicamente explicables. Nuestras alteraciones de humor nos hacen únicas, sensibles y misteriosas. Antiguamente nos veían como poseedoras de poderes sobrenaturales. Hoy nos ven malhumoradas, impredecibles y débiles. La sociedad no nos comprende, y hasta Freud nos malinterpretó. Opinaba que el ciclo menstrual de la mujer se debe a la envidia y deseo que siente por el órgano sexual masculino, y que junto con la sangre y el dolor elimina su ira y su frustración. Lo siento Freud... ni siquiera te aproximas.

Tras conocer los mecanismos biológicos que dan lugar a los antojos, muchas de mis clientes se alborozan. «Los antojos no son signo de debilidad; son un signo de avance biológico. En realidad, son un don de Eva.»

Al principio unas cuantas clientes, sin embargo, se sienten biológicamente condenadas en lugar de biológicamente bienaventuradas. «¿Cómo podré controlar esos antojos irresistibles y a la vez perder peso? Estaré tentada de contenerme y privarme aún más.»

Pero reprimirse no es manera de responder a los antojos ni la vía para perder peso, sino la causa de que los antojos sean incontrolables y el aumento de peso inevitable.

2

REGLAS ALIMENTARIAS DE LA SOCIEDAD = BLUES FEMENINO

Al principio de mi carrera profesional yo me atenía al punto de vista tradicional de controlar los antojos y el peso, y solía recomendar a mis clientes la abstinencia y la restricción. Les pedía que se comprometieran por escrito a abstenerse de comer chocolate (u otro alimento que desearan vivamente) durante un mes. No sin protestas, ellas consentían y prometían tener la fuerza de voluntad de abstenerse, pero a la larga me enteraba de que su declarada fuerza de voluntad era más bien efímera. En aquellos tiempos mi consulta estaba justo enfrente de una bombonería e inevitablemente muchas de mis clientas acababan confesando que tan pronto como salían por la puerta y tras asegurarse de que yo no las estaba mirando, se apresuraban a cruzar la calle, compraban medio kilo de sus bombones favoritos y se lo comían entero de vuelta a casa.

Esto es lo que provoca la abstinencia. Si el antojo es biológico, necesitamos darle satisfacción, pero si sabemos que no podemos, el deseo y la necesidad son aún más irresistibles.

Hace diez años que dejé de lado, por infructuoso, este punto de vista, pero por desgracia nuestra sociedad todavía se rige por él y se sigue poniendo en práctica. Nos han hecho creer que para controlar los antojos, llevar una dieta sana y conseguir un cuerpo perfecto y tan delgado como un lápiz (algo biológicamente imposible para el 95 % de las mujeres), debemos atenernos a las siguientes reglas de alimentación que están socialmente aceptadas:

1. Eliminar los alimentos «prohibidos», es decir, los ricos en grasas y los ricos en azúcar.
2. Abstenerse de satisfacer los antojos.
3. Seguir una dieta baja en calorías.
4. Evitar picar entre comidas y no comer más de tres veces al día.

El cuerpo de la mujer no está concebido para seguir reglas de restricción alimenticia como éstas. Por consiguiente, aunque estemos muy motivadas, la promesa de no ingerir determinados alimentos dura poco y nos vemos condenadas al fracaso.

Estas reglas no sólo no han dado resultado sino que, lo que es más importante, han comprometido el beneficio emocional y físico que los alimentos aportan a las mujeres. Han provocado una descompensación antinatural en el cuerpo y la mente femeninos, y son causantes, por lo menos en parte, de nuestra abrumadora fatiga, nuestros frecuentes cambios de humor, de los debilitantes síntomas premenstruales y menopáusicos, de nuestros antojos incontrolables y de la eterna lucha para perder peso que tan bien conocemos la mayoría.

Ayudaré a las lectoras a romper con este viejo modelo de conducta alimentaria desestimando primero cada una de estas reglas socialmente aceptadas, y después, al final de este capítulo, actualizaré la definición de alimentación sana para la mujer. Esta nueva definición tendrá en cuenta nuestro eficaz mecanismo de supervivencia, las fluctuaciones hormonales, las variaciones de azúcar en la sangre, las variaciones en las sustancias químicas del cerebro y, naturalmente, nuestros vitales, biológicos y femeninos antojos.

Los mal llamados alimentos «prohibidos»

¿Qué alimentos considera usted estrictamente prohibidos?

(Casualmente, la respuesta a esta pregunta coincide con los alimentos de los que por naturaleza la mujer tiene antojo: chocolate, azúcar, grasas y fécula.)

Suzi (católica devota) respondió a la pregunta haciendo una lista de los alimentos «pecaminosos» como si fueran los Diez Mandamientos:

1. No comerás chocolate (absuelta el Día San Valentín).
2. No comerás azúcar refinado (absuelta con edulcorantes artificiales).
3. No comerás pastel (absuelta el día de tu cumpleaños).
4. No comerás galletas (absuelta si se trata de la merienda de fin de curso en la guardería de tu hijo).
5. No comerás helado (absuelta si estás embarazada).
6. No tomarás comidas rápidas (absuelta si tienes menos de 10 años).
7. No comerás caramelos (absuelta si tienes más de 70 años).
8. No comerás ni mantequilla ni margarina (absuelta si son «dietéticas» o «no grasas»).

9. No comerás carnes rojas (absuelta si compartes las convicciones masculinas).
10. No comerás tentempiés (absuelta si están hechos al horno, no fritos).

Comoquiera que categoricemos los alimentos prohibidos, en cierto modo siempre nos sentimos como si hubiésemos cometido un «pecado» cuando los comemos. Si ingerimos un alimento calificado de «malo», es que debemos ser malas personas y merecemos un castigo. El castigo que normalmente nos autoinfligimos es, o bien una larga condena de restricciones, o bien una rápida tortura de hartazgos. Ninguna de las dos reacciones es ventajosa para nuestra biología. Me consta que le encantará saber que ninguna mujer merece castigo alguno por satisfacer sus antojos de comida «prohibida».

De hecho, merecen recompensa. **Todo alimento es «bueno» siempre y cuando responda a las necesidades del cuerpo y sea ingerido en pequeñas cantidades.**

–¿Cómo es posible que el chocolate sea bueno para mí? –pregunta Jill, escéptica–. Está cargado de azúcar, cafeína, grasas, colesterol y calorías. Provoca caries, acné, migrañas y aumento de peso...¡cualquier cosa que tenga tan buen sabor tiene que ser mala por fuerza!

A nosotras los alimentos que «saben bien» nos hacen «sentir bien», y por consiguiente *son* buenos. Y ahora permítanme desmontar el aparato propagandístico antichocolate.

1. El chocolate *no* es alto en cafeína. Solamente tiene 6 mg por cada 28 g, contra los 180 mg de una taza de café de 140 ml.
2. El chocolate *no* es alto en colesterol. Se extrae

de los granos de cacao, y las plantas no contienen colesterol (solamente lo contienen los animales). Debido a los sólidos lácteos que se le agregan, el chocolate con leche tiene algo de colesterol, pero solamente 7 mg por cada 28 g, contra los 70 mg que contiene una ración de 100 g de carne roja.

3. La manteca de cacao del chocolate *no* eleva el nivel de colesterol en sangre como otras grasas saturadas. La manteca de cacao es alta en un tipo especial de grasa, el ácido esteárico, y hay estudios que indican que este ácido disminuye los niveles de colesterol en sangre.
4. El chocolate *no* tiene tantas calorías como podría creerse. Se puede tomar chocolate bajo en calorías, que es todo lo que se necesita para satisfacer un antojo biológico.
5. El chocolate *no* favorece la aparición de caries tanto como otros alimentos ricos en azúcar. Recientemente se ha descubierto que el chocolate contiene una agente antibacteriano que impide la formación de placas. Pese a todo, es muy recomendable cepillarse los dientes después de comer chocolate.
6. El chocolate *no* produce acné. No existe investigación científica alguna que relacione el chocolate con afecciones de la piel, excepto un estudio en el que a los adolescentes objeto del mismo se les untaba la cara con chocolate en lugar de dárselo para comer.
7. El chocolate *no* es la causa principal de los dolores de cabeza; el alcohol, sí. Algunas personas carecen de una enzima que digiere las aminas del chocolate, pero estas aminas también están presentes en ciertas frutas, en los productos lácteos, las carnes y los alcoholes.

¡Hurra por el chocolate!

Vayamos con el siguiente alimento prohibido: el azúcar. ¿Por qué se considera malo? Judith contesta a la pregunta con una disertación sobre las maldades del mismo:

–Es la muerte blanca. Produce diabetes, hiperactividad, depresión, hipoglucemia, estrés, infecciones fúngicas, merma de nutrientes y caries.

¡ATIZA! Entonces ¿por qué tenemos papilas gustativas para el azúcar? ¿Por qué les encanta el azúcar a los niños? El 99 % de los males atribuidos al azúcar son infundados. Las investigaciones médicas han demostrado que no hay relación entre el azúcar y la diabetes (no es la causa de la diabetes, pero reducir la ingesta de azúcar forma parte del tratamiento), la depresión, la hipoglucemia y la depleción de nutrientes.

Hasta se ha demostrado que no existe conexión entre el azúcar y la hiperactividad y no hace mucho se ha descubierto que el azúcar calma a los niños hiperactivos y tranquiliza a un bebé que llora. El único problema cierto con el azúcar es que provoca caries; así pues cepíllese los dientes después de comerlo.

Pese a las investigaciones que defienden el comer azúcar con moderación, los mitos aún prevalecen. El azúcar siempre ha estado presente. En los viejos tiempos, cuanto más maduras eran las bayas, mejor. Hoy en día, cuanto más dulce es el postre, mejor. Desde luego, demasiado azúcar, como el exceso de cualquier cosa, producirá un aumento de peso y acarreará otros problemas. Pero si usted lo desea vivamente y satisface ese deseo con una pequeña cantidad, la calmará, relajará y estabilizará.

Al azúcar se le ha puesto la etiqueta de malo desde hace cosa de unos treinta años, pero ahora es la grasa la que empieza a llevarse la palma. El mensaje es fuerte y claro: la grasa es causa de enfermedades cardiovasculares, es cancerígena y es peligrosa para la salud. Recórtela, redúzcala, sustitúyala... elimínela de la dieta. Así pues lo intentamos, pero al parecer somos incapaces de seguir una dieta muy baja en grasas prolongadamente. No perdemos mucho peso; no nos encontramos tan bien; y tenemos antojo de alimentos grasos a pesar de nuestros esfuerzos. ¿Por qué?

- Porque necesitamos grasas para nuestro mecanismo de supervivencia.
- Porque necesitamos grasas para prepararnos para la gestación y la lactancia.
- Porque necesitamos grasas para tener satisfechas a nuestras células grasas.
- Porque necesitamos grasas para tener contentas a nuestras neuronas.

La tendencia actual a reducir las grasas hasta el 10 % o menos de las calorías diarias puede dar resultado en el caso de los hombres, pero no para la mayoría de las mujeres. Por experiencia sé que las mujeres duran como mucho alrededor de un mes con una dieta con un 10 % de grasas; después, en protesta, pasan a una dieta con un 50 % de grasas. Una dieta de ingesta restringida de grasas crea una pequeña hambruna propia. No ingerimos lo que necesitamos para subsistir y por tanto nuestros cuerpos se rebelan reduciendo las sustancias químicas del cerebro, reduciendo metabolismo y estimulando los antojos de grasa.

El exceso de grasa no es bueno para nadie, pero en la dieta nosotras necesitamos un poco más de grasa que los hombres, para tener contentas a las células grasas con grasa almacenada y tener satisfechas a las neuronas con endorfinas.

Ya hemos hablado del chocolate, el azúcar y la grasa, pero pienso que puede ser necesario acabar con la creencia de que la fécula también es un alimento «prohibido». Aunque muchas mujeres han llegado a darse cuenta de que las féculas son opciones alimenticias sanas, muchas otras aún piensan que el pan, los cereales, la pasta y el arroz engordan.

Desde que se creara la primera dieta adelgazante, se ha considerado que las féculas son un enemigo en lugar de un aliado. Hace unos cincuenta años, alguien (no mencionaré nombres) decidió que el pan, la pasta, el arroz y las patatas engordaban. Aunque desde entonces hasta ahora se ha demostrado que las féculas favorecen la pérdida de peso, la mala fama es difícil de cambiar y los mitos siguen aflorando periódicamente.

No crea ninguno de esos mitos sobre el pan o cualquier otro alimento rico en fécula. Las féculas no producen aumento de peso a menos que se coman en exceso (*cualquier* alimento tomado en exceso engorda). La pasta no se coloca directamente en las caderas. El pan no se adhiere al estómago, sino que todos estos alimentos ricos en féculas abastecen el cuerpo, estabilizan el azúcar en sangre y favorecen el buen humor. Tal como descubriremos en el capítulo 5, la fécula no es una enemiga sino una fiel aliada, porque es para el cerebro una compañera de por vida.

Así pues, el chocolate, el azúcar, la grasa y la fécula no son en absoluto alimentos prohibidos: *son alimentos placenteros para el cuerpo de la mujer.* Nunca se me ocurrirá decirle que se coma medio kilo de chocolate o un cuarto de litro de helado. Sin embargo, no dudaré en recomendarle que haga caso de su cuerpo y dé respuesta a sus necesidades. Si lo que su cuerpo necesita biológicamente es chocolate o patatas fritas, con una pequeña cantidad bastará. No se quedarán almacenados en las células grasas, no obstruirán las arterias, no aumentarán el riesgo de contraer cáncer. En lugar de ello, el cuerpo utilizará esos alimentos para cubrir todas sus necesidades biológicas.

No hay que abstenerse de los alimentos que nos son placenteros; intentarlo suele ser contraproducente.

La abstinencia intensifica el antojo

Quizá haya probado unas cuantas técnicas de abstinencia, pero ¿alguna le ha dado resultado? No, y muy probablemente han surtido justo el efecto contrario.

He aquí lo que ocurre cuando usted intenta hacer caso omiso de un antojo biológico:

> Su cerebro envía primero un sutil mensaje: «Por favor, dame un poco de chocolate.»
>
> Usted dice: «De ningún modo, estoy a dieta para perder peso. En lugar de chocolate, toma una manzana.»
>
> Su cerebro dice: «Lo siento, no necesito una manzana. Necesito chocolate y lo necesito ahora mismo.»
>
> Usted dice: «Puedo resistirme. Tengo fuerza de voluntad», pero mientras sigue hablando consigo misma, está cada vez más inquieta, más ansiosa y más deprimida.
>
> Ahora el cerebro pide a gritos que le preste atención. «La has fastidiado. Por negármelo,

ahora necesitarás cinco pastillas de chocolate para compensar la espera. Hace una hora habría estado perfectamente satisfecho con una.»

La abstinencia provoca indulgencia. Ahora que ha comido en exceso se siente culpable, tiene dolor de estómago y el azúcar en sangre está desorbitado. Tiene miedo de ganar peso, de manera que se hace la promesa de ayunar todo el día siguiente. Una mala decisión: se ha metido en un círculo cerrado del que es muy díficil salir.

La abstinencia no es provechosa para el corazón, el humor ni el cerebro y solamente sirve para empeorar el antojo.

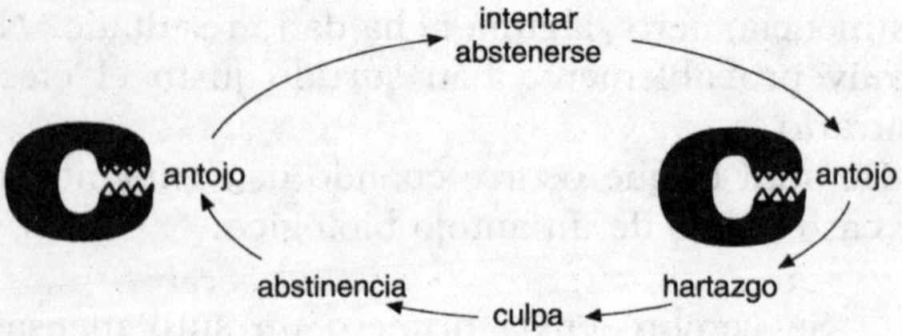

Dietas de adelgazamiento y turbulencia cerebral

Las dietas no dan resultado por lo menos por un centenar de razones. He aquí la 101:

Estar a dieta provoca turbulencia cerebral: decrecen las sustancias químicas del cerebro y el aporte de azúcar al mismo, intensifica los antojos y deprime el humor. En realidad estar a dieta es lo mismo que pasar por un largo período de abstinencia.

Usted puede preguntar: «¿Es por eso que mi familia echa a correr cuando me oyen decir que he empezado una nueva dieta? ¿Es por eso que los síntomas premenstruales son peores cuando estoy a dieta? ¿Es por eso que inevitablemente acabo la dieta atiborrándome de grasas o azúcar?»

La respuesta a todo lo anterior es: Sí.

Pero nos han hecho creer que para perder peso debemos ponernos a dieta. Si tal dieta no da resultado, prueba con otra. Si esta otra tampoco funciona, prueba las comidas líquidas. Si tampoco pierdes peso, intenta ayunar lo que te queda de vida.

Un mes cualquiera, el 35 % de las mujeres está a dieta. Si usted forma parte de ese 35 % este mes, por favor déjela ya. De todos modos hay un 98 % de probabilidades de que la dieta no dé resultado, y un 100 % de probabilidades de hacerle estragos en el cuerpo.

Cuando usted se pone a dieta, el cerebro registra «HAMBRE» y para asegurar su supervivencia, comienzan los cambios bioquímicos. Puede que usted sepa que no se le viene la muerte encima, pero su cuerpo no lo sabe. El cerebro posee un dispositivo admonitor incorporado que detecta la insuficiencia de calorías. Cuando usted ingiere muy pocas calorías, el cerebro se pone nervioso y decide que tiene que ingerir más. El metabolismo y los niveles de serotonina empiezan a decrecer, y sus pensamientos y antojos viran hacia algo dulce y almibarado. Usted intenta no responder y cierra a cal y canto la nevera, visita al dietista o se encomienda a un ser superior.

Por supuesto, nada da resultado. El cuerpo femenino quiere proteger la grasa almacenada y el cerebro colabora estimulando los antojos de azúcar y de grasa. Ciertos estudios han demostrado que la ingesta de azúcar y grasa puede incrementarse hasta el doble después de acabar la dieta.

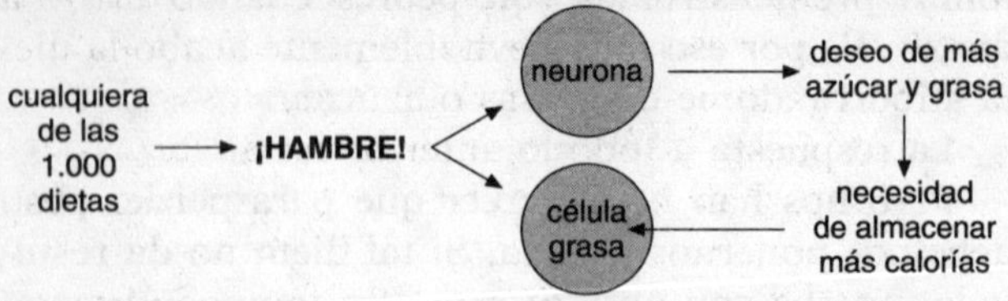

Póngase a dieta hoy, véaselas con la turbulencia cerebral y el aumento de peso mañana. Estar a dieta desbarata por completo su rutina. **No falla usted. Falla la dieta.** Usted no tiene manera de controlar la respuesta del cuerpo y del cerebro a una dieta. Lo único que puede controlar es la decisión de no volver a ponerse a dieta en toda su vida.

Y a lo mejor piensa que ya no hay más que decir sobre este tema.

El concepto tradicional de alimentación equilibrada no equilibra el estado anímico femenino

¡No picotee! ¡Haga tres comidas equilibradas al día! ¡El desayuno es la comida más importante! ¡La cena debe estar compuesta de proteínas, féculas, verdura, leche, pan y ensalada!

Todas ellas son frases bien conocidas. Las hemos oído desde que éramos pequeñas; hoy en día a los niños se les sigue enseñando que éstos son los principios de la alimentación sana y equilibrada. Sin embargo, es justo lo contrario de lo que el cuerpo femenino necesita. Por nuestras hormonas, necesidades de azúcar en sangre y equilibrio de las sustancias químicas cerebrales... **tenemos que picotear, comer con frecuencia y en pequeñas cantidades a lo largo del día, restarle importancia a la cena y dársela a la comida de mediodía.**

Como pronto descubriremos, la comida de mediodía se lleva «el premio a la comida más importante del día» porque nos ayuda a funcionar óptimamente. En primer lugar, las mujeres no nos damos cuenta de esto y, en segundo lugar, todas las reglas sobre alimentación han descuidado la comida para centrarse en el desayuno y en la cena. Hemos perdido la comida en el apresurado ir y venir de la vida cotidiana.

Lo que optamos por comer (o no comer) a la hora de la comida puede tener un profundo efecto sobre la energía, la productividad y el humor el resto del día. Pero ¿qué come *usted* a mediodía? He aquí algunas respuestas a la pregunta:

- «Nada, es la comida que me salto todos los días.»
- «Uno de esos batidos para perder peso.»
- «Una ensalada aliñada sin grasas.»
- «Un yogur desnatado.»
- «Cualquier cosa que me dé tiempo de comer, normalmente comida rápida.»

Éste es uno de los problemas. No tenemos tiempo para cuidar debidamente la comida. No nos damos cuenta de lo importantísima que es la comida para el bienestar de nuestra mente y de nuestro cuerpo, y escasamente nos permitimos treinta minutos para comer. Corremos de un lado a otro haciendo recados para todo el mundo, después comemos deprisa o ni siquiera nos tomamos un descanso para comer. El resultado es que por delante nos espera una tarde de fatiga, falta de concentración y dificultades para manejarnos con el estrés.

Sin embargo, sí disponemos de mucho tiempo para cenar abundante y pausadamente. Y de hecho, una cena copiosa y tardía descompensa nuestros ritmos biológicos y nuestra bioquímica. Si cenamos en abundancia, por la mañana no tenemos hambre, a la hora de comer comemos poco y por la noche, como tenemos que compensar la falta de alimento durante el día, cenamos aún más.

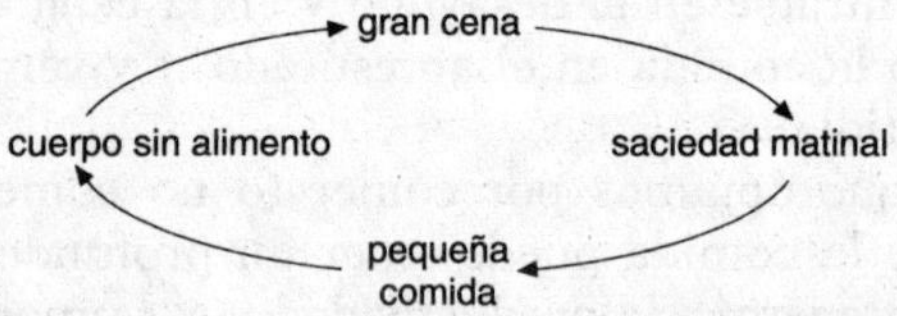

Son muchas las culturas que prestan atención a lo que les dicta el cuerpo, hacen la comida principal a mediodía y toman tentempiés con frecuencia. Los franceses toman la comida más copiosa del día justo después del mediodía y siempre los están sometiendo a estudios porque pese a su dieta rica en grasas y alta en colesterol, tienen un peso bajo y un índice igualmente bajo de riesgo de enfermedades coronarias. Inglaterra, con el té de las cinco, y España con las tapas, son dos países que han instituido el tentempié. La mayoría de los europeos consumen más chocolate que nosotros, pero pesan menos. El chocolate no les acarrea ningún problema porque lo toman en consonancia con las necesidades del cuerpo.

La propuesta tradicional para una alimentación sana y equilibrada no equilibra: de hecho crea un desequilibrio de energía, de humor y de química cerebral.

Sólo para mujeres: Reglas de alimentación nuevas y perfeccionadas

Ahora que ya hemos derrumbado todos los mitos, espero que esté convencida de que las reglas de alimentación restrictivas no sólo han refrenado nuestra innata habilidad para utilizar los alimentos en provecho de nuestra particular biología, sino que también son la causa de que comamos en exceso.

Puesto que las mujeres no pueden atenerse mucho tiempo a unos hábitos de alimentación restrictivos y después se sienten culpables cuando ceden a sus antojos biológicos, las investigaciones demuestran que son cada vez más las que recurren a comer en secreto para satisfacer sus necesidades.

De acuerdo con el último estudio sobre nutrición realizado en nuestro país, lo que nosotras comemos y lo que decimos que comemos no coincide. Decimos comer menos chocolate, postres y patatas fritas, pero los datos de consumo de alimentos demuestran que ¡en diez años la ingesta de estos alimentos entre nosotras ha aumentado un 17 %!

Hemos reducido el consumo de carnes rojas, pero tal cosa no debe constituir sorpresa alguna, ya que de todos modos el cuerpo femenino necesita menos proteínas. Sin embargo, necesita chocolate, grasas y azúcar; por eso es que cuando intentamos seguir una dieta restrictiva, suele sernos contraproducente y acabamos comiendo más cuando estamos a solas. ¡La restricción es la causa del consumo excesivo!

Ya no tiene que esconderse para satisfacer esos antojos que son tan característicos de la mujer. Con estos nuevos conocimientos, puede empezar a respetar su cuerpo y a respetar sus antojos por ser portadores de mensajes importantes. Usted *puede* satisfacer sus necesidades ¡y al mismo tiempo llevar una dieta más sana!

De hecho, si nunca hubieran existido estas reglas de alimentación restrictivas y socialmente aceptadas, y hubiéramos sido libres para elegir los alimentos basándonos en nuestras necesidades instintivas, automáticamente seguiríamos una dieta más sana, la más indicada para nuestro cuerpo:

- Optaríamos por que el 60-70 % de la ingesta diaria fuera de carbohidratos, sobre todo fécula y algo de azúcar. (Actualmente sólo es del 46 %.)
- Optaríamos por que el 20-30 % de la ingesta diaria fuera de grasas. (Actualmente es del 37 %.)
- Optaríamos por que sólo el 10-15 % de la ingesta diaria fuera de proteínas. (Actualmente es del 17 %.)
- Tomaríamos 5 pequeñas comidas y tentempiés al día, prestando especial atención a la del mediodía. (Actualmente hacemos 2 ½ comidas.)

¡Tomaríamos el doble de comidas (pero más reducidas), más carbohidratos, más verduras, y menos grasas y proteínas!

Actualicemos las reglas de alimentación para que tengan en cuenta el cuerpo, la mente y los instintos alimentarios naturales de la mujer:

1. No hay alimento prohibido. Cualquier alimento es aceptable cuando respondemos a las necesi-

dades de nuestro cuerpo con una cantidad moderada de él.
2. Comer chocolate con moderación.
3. Comer grasas con moderación.
4. Comer azúcar con moderación.
5. Comer más féculas.
6. Comer 5 veces al día; introducir el tentempié.
7. Dar más importancia a la comida; dar menos importancia a la cena.

Ésta es la rutina alimentaria óptima para todas las mujeres, la que la pondrá a usted de nuevo en el buen camino de la salud mental, física y anímica. De ahora en adelante llamaremos a esta rutina Plan **ON**: **Ó**ptima **N**utrición para la Mente y el Cuerpo. El Plan **ON** la hará capaz de percibir sus necesidades alimentarias instintivas, capaz de transformar positivamente su estado de ánimo y capaz de mantenerse sana. Hasta ahora hemos ido contra el apetito natural femenino. Empecemos a tener en cuenta nuestras particulares necesidades y a asumir la responsabilidad de nuestro bienestar. El Plan **ON** es justamente el instrumento necesario para ponerse en marcha.

3

EL PLAN **ON**: **Ó**PTIMA **N**UTRICIÓN PARA LA MENTE Y EL CUERPO

–Llevo quince años intentando seguir, sin demasiado éxito, una dieta restringida; ahora ya sé que esta falta de éxito no tiene nada que ver conmigo, sino con la dieta en sí. Ateniéndome a los principios tradicionales de la alimentación sana no sólo he estado ignorando mis necesidades femeninas, sino que también he provocado que mente y cuerpo trabajaran por separado. ¿Estoy a tiempo de reparar el daño?

¡Por supuesto! En esto consiste el Plan **ON**, en volver a conectar la mente con el cuerpo y en volver a ponerse en contacto con las necesidades alimentarias instintivas.

Reglas de alimentación restrictiva

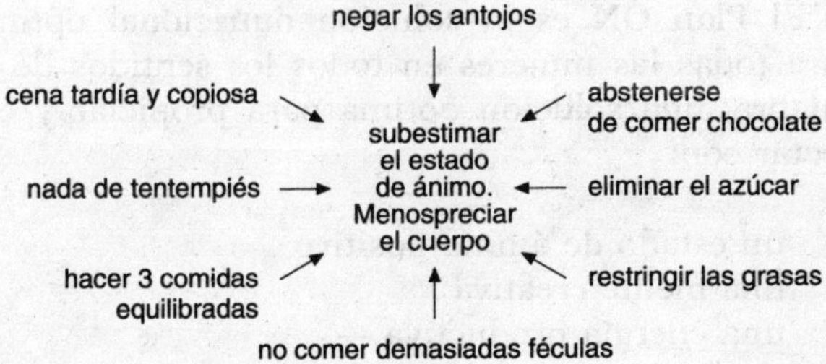

No importa cuánto tiempo lleve usted siguiendo dietas, reprimiéndose de comer o saltándose comidas. Lo más importante es que vea el cuerpo femenino bajo una óptica nueva y entienda que aquellas reglas de alimentación restrictiva no han hecho más que inhibir su innato, biológico sentido de la alimentación. Son reglas que han afectado negativamente a su estado de ánimo, a su cuerpo y a su peso.

Con el Plan **ON**, de usted depende cambiar de sentido y transformar la restricción en revitalización. En su mano está dar la máxima importancia a su estado de ánimo, aumentar sus energías y favorecer su cuerpo: basta con hacer caso de sus antojos de comida y de sus necesidades instintivas de alimento.

El Plan **ON** es la solución nutricional óptima para todas las mujeres en todos los sentidos de la palabra, una solución óptima para propiciar y conectar con:

un estado de ánimo positivo
una mente creativa
una energía productiva

un cuerpo sano
un peso llevadero
las necesidades instintivas de alimentación
el gozo y el placer de comer

Para las mujeres, la nutrición óptima es comer aquello de lo que *tenemos antojo* (sea lo que sea: azúcar, grasas, chocolate y fécula), y comer *cinco* veces al día. Al principio puede parecer que este plan contradice todo lo que nos han dicho o hemos leído. Muchas mujeres me preguntan: «¿Qué clase de especialista en nutrición es usted?»

Pues bien, soy una especialista en «nutrición femenina» dedicada a ayudar a las mujeres para que cuiden de sí mismas y logren encontrarse tan bien y tener un aspecto tan bueno como sea posible. Si usted está perfectamente a gusto con lo que come, entonces no necesita el Plan **ON.** Pero...

- si forma parte del 92 % de mujeres que padecen fatiga crónica, cambios de humor y depresión
- si forma parte del 90 % de mujeres que sufren tensión premenstrual o menopáusica
- si forma parte del 85 % de mujeres que están insatisfechas con su peso
- si forma parte del 78 % de mujeres que no sostienen una buena relación con la comida

...entonces *necesita* el Plan **ON.**

Así pues, ¿qué es exactamente el Plan **ON**?

Antes de pasar a exponer las cinco fases de que consta, tengo que hacerle a usted partícipe de una importante filosofía que es vital para el éxito del plan: **EL PLACER. El primer objetivo es eliminar la culpa y recuperar de nuevo el placer de comer.**

Los principios del placer de comer

–¿Qué es esto de «comer con placer»? Me parece que no sé lo que es una experiencia plenamente placentera con la comida desde que tenía nueve años. Aunque disfrute con el sabor de los alimentos, después tengo un sentimiento de culpabilidad tan abrumador que el placer se esfuma.

Con demasiada frecuencia, la culpa es el sentimiento que acompaña a la comida. Enturbia el sentido común y se apodera de nuestros pensamientos. Sue aún se siente culpable por un pastel de chocolate que se comió hace dos años. Hay mujeres que se sienten culpables antes, durante y después de comer, lo que despoja a la acción de todo placer.

¿Sabe usted cuáles son los alimentos que le provocan sentimiento de culpa? Para Sue y muchas otras mujeres es el chocolate. «Creo que la "culpa" es un ingrediente más del chocolate. Cualquier cosa que contenga grasas, azúcar o sal llama a la culpa. Cualquier cosa enlatada, congelada o procesada produce culpa porque se supone que nosotras debemos comer alimentos frescos. Hasta los plátanos me hacen sentir culpable porque es la fruta que más calorías tiene.»

¿Plátanos? Muchas mujeres prescinden de comerlos porque creen que su contenido calórico es alto. Un plátano sólo tiene 20 calorías más que una manzana, pero también un 300 % más de potasio. Demos una tregua a los plátanos. Si nos lo proponemos seriamente, podemos encontrar razones para sentirnos culpables por comer cualquier alimento. Algunas de las mujeres que vienen a mi consulta han llegado al extremo de definir «alimento» como «palabra obscena».

Piense en la última vez que disfrutó comiendo. ¿Qué comió? ¿Cómo se sintió? ¿Cuánto tiempo hace?

He aquí la respuesta de Ann:

–Fue el día de Acción de Gracias del año pasado (este año lo celebrábamos en mi casa y el estar pendiente de todo el mundo me impidió disfrutar de la comida). Comí un excelente pavo relleno que prepara mi tía y el pastel de calabaza de mamá, que es delicioso. Es lo que me apetecía y gocé con cada bocado; después me lo pasé muy bien con mi familia. No me sentí culpable porque el día de Acción de Gracias es el único del año en que me permito comer de todo.

Ann disfrutaba comiendo solamente un día al año; los 364 restantes se sentía limitada, reprimida o culpable.

Igual que Ann, también yo me privaba de comer o procuraba no comer determinados alimentos. Pero ahora, el placer es mi meta cada vez que como. Pienso en lo que me parece más apetitoso y me doy el gusto. Mi marido sabe cuándo se trata de una comida «turbo-satisfactoria» porque me ve emprender lo que él llama el «baile de la felicidad», a saber, sacudir los hombros hacia adelante y hacia atrás de pura delicia. Si tuviera que elegir una comida que mereciera el premio al placer, tendría que ser un festín de pizza y patatas fritas cuando mi marido está de viaje. No es que sea la mujer más feliz de la tierra cuando está fuera de casa (pese a lo que digan mis amigos), pero de vez en cuando es grato disfrutar de la pizza y las patatas fritas a solas y de un tirón.

Piense en alguna conocida a la que la comida le procure placer y satisfacción, y coméntelo con ella. ¿Se siente culpable porque el comer sea una acción placentera? ¿Qué come? ¿Cómo lo come? ¿Tiene más kilos de la cuenta?

Stephanie habló con su amiga Lori:

–Cuando voy con ella a algún restaurante, estudia el menú por lo menos un cuarto de hora para decidir qué le gusta más. A veces se decide por la pasta y otras por el filete mignon. Está en forma, su peso es moderado, carece de todo sentimiento de culpa y es una condenación comer con ella.

También usted puede experimentar esas mismas cosas y **¡sustituir la culpa por el placer!**

A modo de guía para el Plan **ON**, nos atendremos a los principios del comer con placer:

Principios del comer con placer

1. Redefinir los antojos y atribuirles la cualidad de mensajes naturales y saludables para equilibrar mente y cuerpo.
2. Pensar en la satisfacción, no en el control.
3. Comer exactamente lo que se desea, apetece y quiere.
4. Liberarse de la culpa, abrazar el placer.
5. Experimentar satisfacción con todas y cada una de las comidas.

Comer proporciona placer, pero el placer que las mujeres pueden recibir de los alimentos es mucho mayor de lo que se imagina. Con el Plan **ON**, usted llevará ese placer potencial hasta el límite. Ni tendrá que restringir lo que come ni se dará hartones de comer, cosas ambas que acaban con el placer vinculado a la comida y afectan negativamente su cuerpo y su cerebro. En lugar de ello, encontrará un equilibrio por el cual los alimentos serán inmediatamente provechosos para la mente y, a largo plazo, provechosos físicamente. Existe una zona intermedia en nuestra mentalidad del todo-o-nada, y yo la ayudaré a encontrar esa placentera zona intermedia a partir del Plan **ON** y sus cinco fases progresivas.

Las cinco fases de la óptima nutrición para la mente y el cuerpo

Durante las cinco próximas semanas, nos serviremos de estos cinco principios del placer de comer conjuntamente con las cinco fases progresivas del Plan **ON**. De este modo, adquirirá usted la necesaria confianza, consciencia y destrezas para ayudarla a sentirse lo mejor posible mientras alimenta su cuerpo. Los cambios positivos que experimentará en su cuerpo y en su mente durante estas cinco semanas la harán sentir el deseo de continuar toda la vida con este plan. He aquí un avance de lo que serán estas cinco semanas:

Fase 1: Confíe en sus antojos. El primer paso es siempre el más difícil, pero también el más importante porque la prepara para recibir el máximo beneficio del resto del plan. Es imposible mejorar el estado de ánimo, la energía y la vitalidad sin confiar en los instintos alimentarios. Muchas mujeres temen ganar peso, perder el control, hartarse de comer e incrementar el riesgo de enfermedad. La ayudaré a superar con realismo todos sus temores sobre los antojos y a diferenciar con precisión entre un antojo de comida biológico y un antojo de comida emocional.

Fase 2: Descubra los alimentos que le proporcionan placer. Algunas lectoras ya pueden tener una noción clara de los alimentos que las energizan y las hacen felices y productivas. Pero muchas otras tendrán que dedicar algún tiempo a experimentar con los alimentos para tomar consciencia de cómo influyen en su mente y en su cuerpo. Mediante una comprensión total y nada complicada de cómo ciertos alimentos afectan al cerebro y a la mente, estará en condiciones de identificar aquellos alimentos que le procuran placer.

Fase 3: Aprenda a comer buscando la máxima satisfacción. A continuación, basándonos en los alimentos que le son placenteros, aprenderá a comerlos extrayendo de ellos la máxima satisfacción y provecho: en las papilas gustativas, en el estómago, el cuerpo y el cerebro. También aprenderá a identificar factores que pueden interferir con su grado de satisfacción, como el buscar alimentos sustitutivos, comer demasiadas proteínas y demasiada cantidad de los alimentos que le son placenteros.

Fase 4: Distribuya las comidas para conseguir el mejor estado de ánimo posible. Ahora que ya sabe *qué* comer, *cómo* comer, y *cuánto* comer, el siguiente paso es *cuándo* comer. El sentido de la oportunidad es de la mayor importancia para que el humor, la energía y la productividad salgan beneficiados al máximo. Ciertas horas del día son importantísimas en lo que se refiere a satisfacer los antojos, como también es esencial dar la máxima importancia a ciertas comidas.

Fase 5: Siga su rutina de alimentación óptima. Éste es el paso final para que los alimentos sean plenamente beneficiosos para su biología. Es esta rutina de alimentación óptima la que aportará equilibrio a su cerebro y su cuerpo cada día, cada mes y cada año, y también cuando el cerebro se vea sometido a una considerable tensión debida al estrés, la falta de sueño o a los días más cortos del invierno.

El Plan **ON** es para mujeres de todas las edades, desde la pubertad hasta la posmenopausia. Le ayudará a ponerse de nuevo en contacto con sus necesidades de comida instintivas y su rutina de alimentación óptima. Hasta ahora, nos hemos fiado de los signos externos para comer: reglas sociales, el reloj, el plan de la dieta. Nos han programado para que obedezcamos unas instrucciones dietéticas que no guardan correspondencia alguna con las necesidades de nuestro cuerpo. Deje que su cuerpo le guíe hasta la **Ó**ptima **N**utrición con estos cinco pasos progresivos:

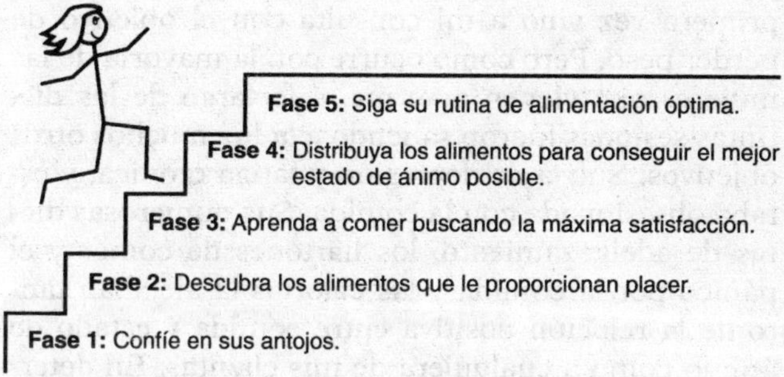

Todo consiste en buscar y seguir una rutina de alimentación que sea la óptima para *usted*.

¿Por qué debe buscarla usted? ¿Por qué no puedo decir yo cuál es la rutina que le conviene? Porque para cada una de nosotras es distinta. Lo que para mí es una rutina óptima puede no serlo para usted. Todo depende del punto en el que usted se encuentre ahora y de en qué grado se ha visto afectada esta rutina por la alimentación restringida y su estilo de vida personal.

Si lleva diez años saltándose el desayuno, su cuerpo y su mente llevan diez años de desarreglo. Si lleva la mayor parte de su vida poniéndose a dieta, su cuerpo ni siquiera sabe que existe una cosa que se llama rutina de alimentación óptima. Si siempre se ha negado los antojos de comida, su cuerpo intenta llevarla hacia una rutina, pero usted trata de impedirlo.

Cualesquiera que sean sus hábitos alimentarios presentes o pasados, cada una de ustedes descubrirá –gracias al Plan **ON**– una rutina alimentaria que es la mejor para cada una.

Pongamos el ejemplo de Lauren, que descubrió por sí misma su rutina de alimentación óptima. La primera vez vino a mi consulta con el objetivo de perder peso. Pero como ocurre con la mayoría de las mujeres que vienen a verme, a lo largo de las distintas sesiones fueron saliendo a la luz muchos otros objetivos. Sufría de depresión y fatiga crónica, y estaba obsesionada con la comida. Sus numerosas dietas de adelgazamiento, los hartones de comer y el pánico por la comida y las calorías la alejaban tanto de la relación positiva entre comida y estado de ánimo como a cualquiera de mis clientas. En determinados niveles era una mujer intuitiva con una asombrosa capacidad de percepción e interiorización, pero en lo que se refería a la comida y a su cuerpo, perdía el norte. Luego cayó cuatro días enferma con la gripe. Durante aquellos días cambió por completo su conducta alimentaria. Solamente quería pan, harina de avena y fideos por la mañana, algo dulce a eso de las cuatro de la tarde, y lo que menos le importaba era la cena. Si su cuerpo quería algo por la noche, era proteína. Mientras me decía esto (o me lo confesaba), se dio cuenta de mi expresión excitada. Le dije que su rutina era perfecta, que así era como quería que comiera siempre.

Su respuesta fue: «Pero todos estos días he comido un poco de azúcar, y el pan, la harina de avena y los fideos engordan.» Aunque por un lado se veía más estable y controlada en cuanto a la comida, por otro se sentía culpable porque le preocupaba mucho su peso.

¿Me ayudará este Plan a perder peso?

Ésta es la gran pregunta que me hacen al menos el 99% de las mujeres. La respuesta es... ¡sí!

Responder a las necesidades instintivas de comida del cuerpo significa hacer caso de las señales de hambre que manda el cuerpo (en la primera fase aprenderemos a reconocer estas señales de hambre), y después comer lo que el cuerpo desea cuando tiene hambre. Y naturalmente, no comer en exceso. El Plan **ON** dará por resultado una pérdida de peso permanente.

Si usted desea perder peso, tiene que comer y responder a las señales de hambre de su cuerpo. Si desea ganar peso, siga a dieta y rechazando sus necesidades alimentarias. De hecho, una de las maneras más seguras de engordar es practicar la dieta yoyó. Cada vez que abandona una dieta y vuelve a sus hábitos alimentarios anteriores, gana el mismo peso que ha perdido... más algunos kilos más. Lo común es una mujer que pierde 45 kilos con una dieta de adelgazamiento, para engordar después 56.

Si ha leído mi primer libro, *Olvídese de la báscula*, ahora ya ha caído en la cuenta de que las estrategias del Plan **DGF** para combatir la grasa femenina complementan el Plan **ON** para la Óptima Nutrición. El cuerpo de la mujer debe tratarse de manera distinta al del hombre en lo que respecta a la pérdida de peso y al bienestar emocional. Trabajando con nuestra fisiología única, usted puede alcanzar todas sus metas.

El Plan ON para la Óptima Nutrición	**Plan DGF para perder peso**
No se prive.	Deje de ponerse a dieta y empiece a comer.
Haga caso de su cuerpo y satisfaga sus antojos.	Coma lo que desee cuando tenga hambre, pero no en exceso.
Haga 5 comidas pequeñas al día.	Reduzca cantidades y multiplique sus comidas.
Preste especial atención a la comida del mediodía.	Coma durante el día.
Coma grasas en cantidades moderadas.	Racionalice su ingesta de grasas.
Haga ejercicio para liberar endorfinas.	Haga ejercicio para perder peso.

¿Ejercicio? Aún no he tratado el tema del ejercicio en este libro, pero ya puede ir preparándose desde ahora porque le dedico un capítulo entero. El ejercicio es tan vital para el bienestar de las mujeres que podríamos considerarlo la 6.ª fase del Plan ON. De momento no diré más.

Me parece de lo más curioso que las mujeres que siguen el Plan ON declaren tener cada vez menos antojos y menos intensos. La razón: el cerebro está constantemente satisfecho, y no tiene que enviar mensajes tan a menudo. Y cuando los envía son placenteros, sutiles y llevaderos. A usted ya no le hace falta el paquete entero de galletas; le basta con dos galletas. Ya no devora una tarrina grande de helado; con una cucharada es suficiente.

El Plan ON alienta la indulgencia sin excesos y, en consecuencia, favorece la pérdida de peso. Usted puede estabilizar su estado de ánimo al tiempo que estabiliza su peso. Puede ganar en energía mientras pierde peso. Puede *atajar* las células grasas a la par que *pone en marcha* las neuronas productivas. Puede tener buen aspecto a la vez que se encuentra bien.

¿Está preparada para el plan ON?

–¿Que si estoy preparada? Esperaba que alguien validara mi sentido natural de la alimentación y hablara de mis necesidades especiales en tanto que mujer. Estoy preparada para el Plan On desde hace diez años y dispuesta a empezar ahora mismo.

La mayoría de las mujeres se ven tan reforzadas al comprender la razón de sus antojos y de sus necesidades de comida instintivas que casi se muestran demasiado dispuestas a emprender el Plan On. Quiero que se tome las cosas con calma durante las cinco próximas semanas. Hay mucho que aprender y que experimentar a partir de ahora.

Y, antes de empezar, quiero prepararla para el Plan ON. Antes de que efectivamente pueda usted conectar con sus antojos, con el buen humor, la energía productiva y una renovada vitalidad, debe entender hasta qué punto la sociedad, por un lado, y sus hábitos alimentarios personales por otro, la han alejado de todo ello. Los cuestionarios de las próximas páginas, fundamentados en cada una de las fases del Plan ON, la ayudarán a adquirir un mayor conocimiento de sí misma, de sus hábitos alimentarios y a saber cuán importantes serán para usted cada una de las fases.

FASE 1: CONFÍE EN SUS ANTOJOS

Puntúe cada respuesta como sigue:

0 – nunca
1 – raras veces
2 – con frecuencia
3 – siempre

1. Intento rechazar mis antojos ___________
2. Me pongo a dieta para perder peso ___________
3. En cuanto empiezo a comer, me cuesta parar ___________
4. Si satisfago mis antojos, tengo miedo de engordar ___________
5. Si satisfago mis antojos, me preocupa que mi dieta no sea sana ___________
6. Califico a los alimentos de «buenos» o de «malos» ___________
7. Me siento culpable después de comer aquello de lo que tengo antojo ___________
8. Como aquellos alimentos que me proporcionan placer cuando nadie me ve ___________
9. Siento que me faltan fuerza de voluntad y disciplina ___________
10. Como por motivos emocionales ___________

TOTAL ___________

FASE 2: DESCUBRA LOS ALIMENTOS QUE LE PROPORCIONAN PLACER

Puntúe cada respuesta como sigue:

0 – nunca
1 – raras veces
2 – con frecuencia
3 – siempre

1. Restrinjo el chocolate en mi dieta ________
2. Restrinjo el azúcar en mi dieta ________
3. Restrinjo las féculas en mi dieta ________
4. Restrinjo las grasas en mi dieta ________
5. Restrinjo la sal en mi dieta ________
6. Creo que los carbohidratos engordan ________
7. Intento buscar sucedáneos «más sanos» para mis antojos ________
8. Tomo azúcar para recomponerme rápido ________
9. Intento seguir una dieta muy baja en azúcar ________
10. Intento seguir una dieta muy baja en grasas ________

TOTAL ________

FASE 3: APRENDA A COMER BUSCANDO LA MÁXIMA SATISFACCIÓN

Puntúe cada respuesta como sigue:

0 – nunca
1 – raras veces
2 – con frecuencia
3 – siempre

1. Como deprisa ____________
2. Apenas mastico la comida ____________
3. Como de pie ____________
4. Como sin darme cuenta ____________
5. Como inmoderadamente aquellos alimentos de los que tengo antojo ____________
6. Rebaño el plato ____________
7. Mis comidas son a base de proteínas, fécula, ensalada y verdura ____________
8. Utilizo edulcorantes artificiales ____________
9. Compro alimentos «no grasos» ____________
10. La comida no me satisface ____________

TOTAL ____________

FASE 4: DISTRIBUYA LAS COMIDAS PARA CONSEGUIR EL MEJOR ESTADO DE ÁNIMO POSIBLE

Puntúe cada respuesta como sigue:

0 – nunca
1 – raras veces
2 – con frecuencia
3 – siempre

1. Me salto el desayuno __________
2. Me salto la comida __________
3. La comida más copiosa que tomo es la cena __________
4. Mis antojos son más fuertes por la noche __________
5. Cenò más tarde de las 21 horas __________
6. Creo que picar es «malo» __________
7. Como tres veces (o menos) al día __________
8. Pico algo antes de irme a la cama __________
9. Bebo más de dos tazas de café al día __________
10. No tengo tiempo para comer tranquilamente a mediodía __________

TOTAL __________

FASE 5: SIGA SU RUTINA DE ALIMENTACIÓN ÓPTIMA

Puntúe cada respuesta como sigue:

0 – nunca
1 – raras veces
2 – con frecuencia
3 – siempre

1. Cada día tengo cambios de humor ____________

2. Me siento muy fatigada ____________

3. A las 3.30 de la tarde tengo un bajón ____________

4. Durante los meses de invierno estoy deprimida ____________

5. Tengo dificultades para conciliar el sueño por las noches ____________

6. Tengo SPM o tensión menopáusica ____________

7. Durante los meses de invierno tengo antojo de más alimentos ____________

8. Tengo antojo de más alimentos durante los días previos a la menstruación o durante la menopausia ____________

9. Como más azúcar y grasas cuando estoy estresada ____________

10. Tengo dificultades para controlar mi peso ____________

TOTAL ____________

Cuanto más alta sea la puntuación obtenida en cada cuestionario, mayor será el provecho que extraiga al aplicarse el Plan ON. Aquellas fases en las que la puntuación es mayor serán las más importantes a lo largo de estas cinco semanas. Anote a continuación las puntuaciones de cada fase y sume el total.

¿Cúales han sido las puntuaciones?

		Puntuación
Fase 1:	Confíe en sus antojos	________
Fase 2:	Descubra los alimentos que le proporcionan placer	________
Fase 3:	Aprenda a comer buscando la máxima satisfacción	________
Fase 4:	Distribuya la comida para conseguir el mejor estado de ánimo posible	________
Fase 5:	Siga su rutina de alimentación óptima	________
	TOTAL	________

«Tengo la puntuación más alta...¡150 puntos! ¿Me dan un premio o me penalizan? ¿Alguien ha sacado alguna vez una puntuación así?»

Si ése es el resultado que usted ha obtenido al rellenar el cuestionario, no debe preocuparse. Muchas mujeres rebasan ampliamente los 100 puntos. Una puntuación alta no significa que usted sea una mala persona. Tan sólo indica que el Plan ON será para usted muy beneficioso. Cuanto más alta sea la puntuación, más *necesita* usted el Plan ON, y mejor se sentirá y desenvolverá cuando lo introduzca en su vida.

Ahora sí que está ya lista para el Plan ON. Comprende la razón de sus antojos, de sus necesidades instintivas de alimento, y cómo funciona la química de su cerebro. Ya es consciente de la negligencia de la sociedad respecto al tema y de la influencia negativa de las reglas de alimentación universalmente aceptadas. Y también ha tomado consciencia de sus actitudes y hábitos, y de cuáles son las fases del Plan ON que para usted serán más importantes.

Pase la página y empiece a conectar con su rutina de alimentación óptima.

4

FASE 1: CONFÍE EN SUS ANTOJOS

Si usted proyectara hacer una excursión por unos parajes solitarios que no conoce (y si nunca haría una cosa semejante, imagíneselo), ¿confiaría en un guía sin experiencia? ¿Elegiría para guía un banquero que organizara travesías como negocio aparte? Claro que no. Se aseguraría de contratar a un guía experimentado, serio y entendido para que la llevara por esos territorios desconocidos.

Pues bien, con el Plan ON usted se adentra en territorio nuevo y su cuerpo es el guía entendido. Es el experto que la conduce hacia la pérdida de peso, una óptima salud y un estado de ánimo inmejorable. Pero para que su cuerpo pueda valerse de su erudición, usted debe confiar en los mensajes que le envía y hacerles caso.

Para algunas de nosotras, sin embargo, la confianza puede ser un terreno desconocido y un poco atemorizante. Este temor no es sorprendente, dado que siempre nos han enseñado a desconfiar de nuestros mensajes internos y de nuestros instintos, y a fiarnos en cambio de guías ajenos a nosotras: otras personas, planes, programas, clínicas, libros, artículos y publicidad informativa. Pues bien, nadie excepto *usted* sabe qué es lo óptimo para su cuerpo y su mente.

Si, como les pasa a algunas de mis clientas, la confianza en sí misma es algo de lo que cree carecer, le demostraré que *sí* la posee, pero que ahora está oculta bajo ciertos miedos e incertidumbres. Primero, la ayudaré a deshacerse de los temores más comunes respecto a los antojos de comida:

- «En cuanto empiece a comer, no podré parar.»
- «Engordaré.»
- «No será una dieta sana.»

Y después, trataré de la incertidumbre de no saber si el antojo se debe a un impulso biológico o emocional. Si a veces no está segura y se hace la pregunta: «¿Esta gana viene del cuerpo o del corazón?», la ayudaré a responderla sin dejar lugar a la duda.

Usted puede sustituir el miedo por conocimiento y la incertidumbre por confianza. ¡*Puede* confiar en sus antojos!

Una vez que empiece a comer, puede *parar*

¿Cuántas veces ha visto ese anuncio de patatas fritas que dice: «No podrá comer sólo una»? Con el tiempo acabamos creyendo que esto no sólo pasa con las patatas fritas, sino con casi todos los demás alimentos. En cuanto coma una, acabará por comerse toda la bolsa, la caja o el paquete.

Pues bien, usted *puede* comer sólo una y quedar perfectamente satisfecha, proseguir con sus quehaceres y cubrir sus necesidades alimentarias particulares. No estoy pidiendo que necesariamente coma sólo una patata, pero desde luego no le hace falta alguna comerse la bolsa entera. Un pequeño puñado le dará toda la satisfacción que desea. Si de verdad «nota» que no puede parar de comer y necesita acabarse una bolsa de 800 g, lo que induce su apetito es algo muy distinto de la necesidad biológica interna.

Mis clientas suelen calificar a estas otras necesidades como voces que incitan a «darse un atracón», las inducen a creer que no se puede comer sólo una y les recuerda constantemente que no saben controlarse. A veces las voces vienen de un pasado distante, y otras son suaves murmullos en lugar de berridos, pero hasta que usted las identifique, confronte y apacigüe, siempre están ahí dispuestas a socavar su confianza.

He aquí algunas de estas voces:

El lamento de la privación

La privación clama por la indulgencia.

He tocado el tema de las ramificaciones de la privación varias veces, pero pongamos el peor de los casos de privación de chocolate. Si a partir de la medianoche de hoy el chocolate fuera declarado ilegal, ¿usted qué haría? Yo sé lo que yo haría: coger al vuelo las llaves del coche, salir disparada a la tienda más próxima, cargar el maletero con todo el surtido de chocolate y devorar tanto como pudiera antes de que dieran las doce. Reaccionaría igual que si se tratara de una emergencia nacional, mientras que mi marido (porque la mayoría de los hombres no oye estas voces), seguramente se encogería de hombros y se pondría a escuchar música.

Si en lugar de lo dicho el chocolate fuera declarado el alimento más sano del mundo y pudiéramos comerlo mañana, tarde y noche, esa voz de privación se desvanecería por completo y probablemente nunca nos excederíamos comiendo chocolate.

Es la naturaleza humana; siempre deseamos aquello que no podemos tener, y nunca queremos lo que podemos tener.

El alarido del estómago vacío

El hambre aguda intensifica los antojos y entonces usted percibe que su necesidad es más grande. Si está muerta de hambre cuando empieza a comer, el estómago completamente vacío hace que ingiera mucha comida sin apenas darse cuenta. Su cuerpo intenta compensar la comida que hace dos horas no le dio. Cuando usted está muy hambrienta, una pequeña cantidad de comida no parece ser nunca suficiente. Si está moderadamente hambrienta, suele bastar con una pequeña cantidad.

El fragor de la carrera hacia la despensa

Rebecca sabía exactamente de dónde le llegaba la voz de «darse el atracón»:

–Crecí en una familia de cinco hermanos, cuatro chicos permanentemente hambrientos y yo. Cuando mi madre volvía de hacer la compra, todo era llegar el primero a los armarios de la cocina para acaparar las cosas buenas y atiborrarnos de ellas antes de que otro lo hiciera. Imperaba la ley del «si no espabilas, te quedas sin nada». Ahora tengo 29 años y vivo sola, pero aún vacío los armarios por miedo a que la comida desaparezca por medios sobrenaturales antes de tener la oportunidad de comerla.

Al reconocer esta experiencia de su infancia, Rebecca llegó a la conclusión de que no hacía falta escuchar nunca más esa voz.

Si no se trata de una carrera por la comida en la que intervengan otras personas, puede ser una carrera consigo misma. Si hay un pastel de zanahoria en el mostrador de la cocina, la voz de «darse el atracón» puede urgirla a «comérselo entero ya mientras tenga la oportunidad, porque puede que no vuelva a presentarse otra igual».

La cantinela de los niños hambrientos

La voz que incitaba a Sharon salía del sentimiento de culpa por tirar la comida.

–No sé controlar la cantidad que como porque mi madre siempre hablaba en la mesa del hambre que había en el mundo y de los niños que se morían de hambre. Hoy en día me siento tan culpable por tirar la comida que me como hasta el último bocado.

Cuando Sharon se dio cuenta de que podía preparar menos comida, comer y tirar menos, consiguió quedarse en paz. También se percató de que tanto si la comida acababa en su estómago (y a la larga en sus células grasas) como en el cubo de la basura, de ninguna manera llegaba a los niños que se mueren de hambre en el mundo.

En palabras de Sharon:

–O se va a la cintura o se va a la basura; la elección es mía.

La protesta emocional

A veces el origen de la voz es una emoción que pugna por hacerse sentir. El corazón pide consuelo a gritos, pero literalmente intentamos combatir y compensar la ira o la tristeza rellenándolo de comida. Cuando la comida se utiliza para distraerse de una emoción y el antojo es emocional, nunca basta con comer sólo un poco. Hablaremos en profundidad de esta cuestión al final del capítulo.

La profecía autocumplida

Si usted se califica de «adicta al azúcar» o «chococólica», existe la posibilidad de que empiece a exhibir una conducta adictiva. Primero intenta eliminar el azúcar de la dieta, después comienza a tener antojos de azúcar con más frecuencia, y por fin no parece ser capaz de controlar los excesos. Si de verdad existe adicción a los alimentos, afectan a menos de un uno por ciento de la población. En lugar de calificarse de adicta y alentar esa voz de «autocumplimiento», cambie la imagen empezando a llamarse «culta consumidora de azúcar» o «perito en chocolates».

El bramido del festín

La última voz es una que procede del propio alimento, uno (o varios) que a usted le resulta más difícil comer en pequeñas cantidades porque parece hacerle señas. Cheryl afirma que los ganchitos al queso tienen cuerdas vocales y que la llaman cada noche a las 10: «Cheryl, aquí tu bolsa favorita de 800 g de ganchitos al queso. Estoy en el armario justo detrás de las galletas dietéticas; ven a por mí. Ah, y no te olvides de la salsa barbacoa.»

Quizá su caso no es que un alimento le dirija la palabra, pero por alguna razón, parece atentar contra su capacidad de control e incitarla a darse un festín. Para Amanda, eran las patatas fritas:

–Nunca las guardo en el armario de la cocina, he prohibido a mi marido que las coma delante de mí, y carezco de todo control sobre la cantidad que como.

La idea de Amanda de guardar las patatas fuera de la vista y, por tanto, fuera de la cabeza es una manera de abordar el problema. Pero una vez más, si usted tiene antojo y se ve forzada a privarse de comer lo que desea porque no está a la vista, el plan puede ser contraproducente.

Tal vez «no pueda comer sólo una» porque nunca le han dicho que es todo cuanto necesita. Bioquímicamente, el cerebro y el cuerpo estarán felices con una pastilla de chocolate. Comer diez pastillas no es diez veces más beneficioso. Con una sola obtiene el máximo beneficio. Darse cuenta de esto puede bastar para superar el miedo a comer inmoderadamente.

Identificar éstas y otras voces incitantes reducirá la influencia que ejercen sobre la cantidad que usted come. Cuando se las deja al descubierto, suelen batirse en retirada por sí solas. Si persisten, pruebe con el «Experimento Matutino»: desayunarse con una pequeña cantidad del alimento tentador. Es muy raro que en cuestión de comida los excesos se produzcan por la mañana, de manera que el objetivo es comer ese alimento sin perder el control.

Sugerí a Cheryl (la de los ganchitos parlantes) que probara a hacer el «Experimento Matutino» y comiera un puñado de ganchitos junto con lo que acostumbrara desayunar. Sé que parece un poco raro, pero esta técnica la ayudó a darse cuenta de que podía comer sus alimentos favoritos sin perder el control y darse inmediatamente un festín.

Dio tan buen resultado que tres días más tarde llamaba para darme cuenta de sus progresos:

–Estoy maravillada. Nunca he comido menos de media bolsa de ganchitos de una sentada, pero por la mañana es asombrosamente fácil dejar de comerlos después de un puñado. Ahora sé que soy capaz de hacerlo a cualquier hora del día y quedarme completamente satisfecha. Mi único temor es que comeré ganchitos cada día y engordaré.

No *ganará peso*

Para las mujeres el aumento de peso es, con diferencia, el miedo número uno en cuanto a los antojos se refiere. Esto no debería constituir sorpresa alguna puesto que, en general, el aumento de peso es la principal pesadilla de todas las mujeres, ya sea en relación con los antojos o no. De hecho, los principales temores de las mujeres son tres: el aumento de peso, hablar en público y la muerte. Supongo, pues, que el caso más extremo para una mujer sería tener que dar una conferencia sobre la muerte y morir con 50 kilos de sobrepeso. Pero abordemos los temores de uno en uno.

La privación, la restricción y las dietas de adelgazamiento son las que causan aumento de peso. Fiarse de sus antojos y satisfacerlos no conduce al aumento de peso y, si tiene que perderlo, el Plan **ON** la ayudará a deshacerse de esos kilos que le sobran.

–Pero ¿qué hay de mi pasión por el chocolate, el pan y el azúcar? Sé que el chocolate va directo a las caderas, el pan al vientre y el azúcar a los muslos. Satisfacer los antojos supone un inmediato aumento de cinco kilos de cintura para abajo.

Le explico a Jackie que rechazar los antojos es lo que lleva a ganar peso, ya que la conducta sigue una secuencia inevitable.

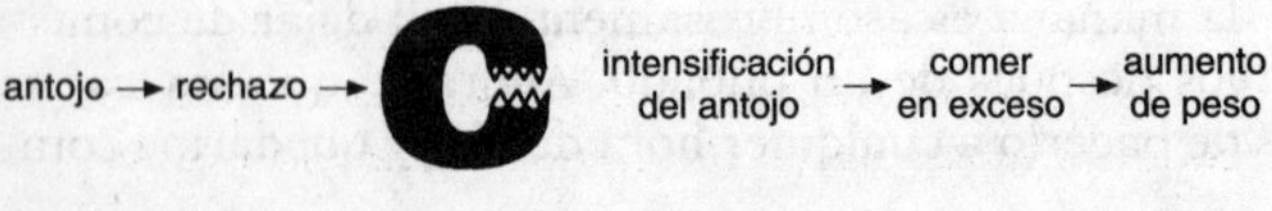

Al empezar a ganar peso por negarse el antojo y luego comer en exceso del alimento negado, los antojos se convierten en cabeza de turco. Usted culpa a los antojos de chocolate y azúcar por la expansión de la cintura y la prominencia del vientre. Entonces la frustración acumulada y el temor a ganar aún más peso la llevan a privarse y limitarse aún más, después a comer más y por último a ganar más peso.

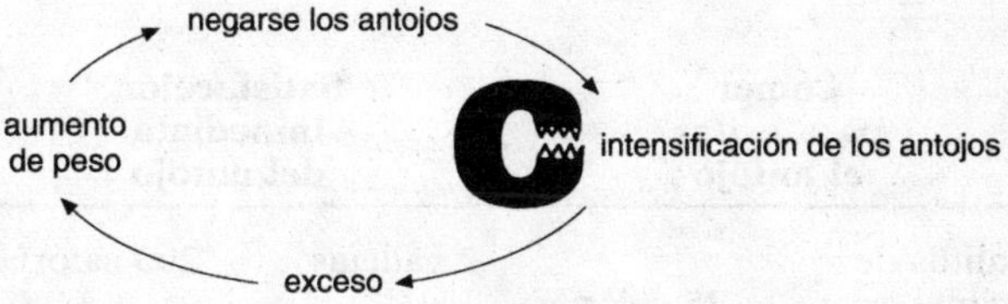

Otro ciclo. Un ciclo tiene vida propia. Una vez que empieza, es la vorágine... a menos que usted haga algo por salir de él. Si para de negarse los antojos, para el ciclo.

Los antojos no producen aumento de peso; negarse los antojos produce aumento de peso.

¡Espere! Todavía no he acabado. Hay otra razón por la cual negarse los antojos da por resultado el aumento de peso. Cuando usted intenta resistirse y alcanzar la victoria no cediendo al antojo, empieza a reclutar otros alimentos para que la ayuden a ganar la batalla. Antes de conceder la derrota al alimento deseado, primero usted come por lo menos otros cuatro alimentos. Yo llamo a esto «comer circunvalando el antojo». Me explico.

Si ahora mismo suspira por comer algo dulce, pero ha jurado tener fuerza de voluntad y abstenerse, pronto empezará a registrar los armarios de la cocina y la nevera en busca de satisfacción. Unos palitos de zanahoria, luego una manzana, después queso fresco, unas obleas de arroz. Pero ¿se ha quedado satisfecha? No. Dos horas más tarde, sigue sin estarlo y ya no puede resistir más, de manera que finalmente cede y se come seis galletas. No es de extrañar que pensemos que los antojos producen aumento de peso; primero comemos para evitar el antojo y después, de todos modos, acabamos dándonos un hartón de lo que deseábamos.

Comer para evitar el antojo		**Satisfacción inmediata del antojo**	
palitos de zanahoria:	25 calorías	2 galletas	200 calorías
manzana:	80 calorías		
queso fresco:	100 calorías		
obleas de arroz:	50 calorías		
6 galletas:	600 calorías		
Total	**855 calorías**	**Total**	**200 calorías**

Consumir 855 calorías significa que el aumento de peso es inevitable, mientras que es altamente improbable con 200 calorías. Satisfacer los antojos no conduce al aumento del peso si usted hace caso de su cuerpo y le da la pequeña cantidad que necesita. Es un hecho médico que las mujeres son extremadamente eficaces almacenando calorías en las células grasas; pero esa eficacia solamente se pone en marcha cuando usted come más de lo que su cuerpo necesita para funcionar en las horas siguientes. Si responde a sus antojos comiendo una pequeña cantidad cuando está *hambrienta*, su cuerpo y su cerebro darán buena cuenta de ella antes de que las células grasas puedan hacerse a la idea de lo que pasa.

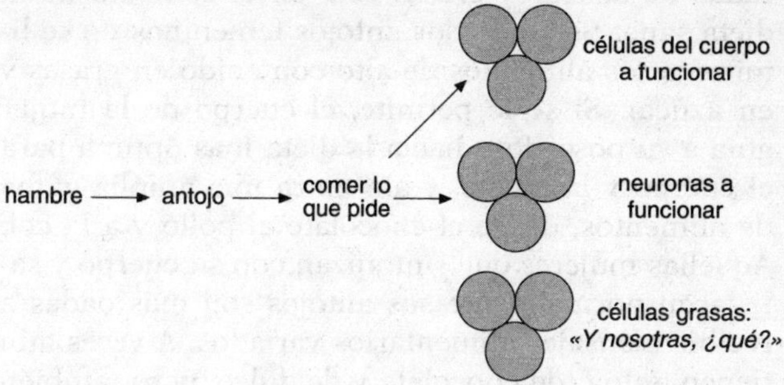

Coma una pequeña cantidad de lo que desea cuando tenga hambre... y *no* ganará peso. He aquí un último argumento en favor de este concepto; a ver si la convenzo. Piense en alguna conocida que sea naturalmente delgada. Denise piensa de inmediato en su hermana. «Come lo que quiere cuando lo quiere. A veces es helado y a veces palitos de zanahoria, pero siempre es poca cantidad. Ella nunca ha tenido problemas de peso, mientras que yo llevo 15 años batallando.»

Tras varias sesiones sobre la confianza, el hambre y los antojos, Denise acaba creyendo que hacer caso del cuerpo conduce a la pérdida de peso en lugar de a lo contrario (¡y lo cierto es que al final perdió casi 20 kilos!). Pero entonces salió a la luz otro temor:

–De acuerdo, no ganaré peso y en realidad lo perderé, pero entonces no llevaré una dieta sana.

Será *una dieta sana*

En primer lugar, comer una galleta o una pastilla de chocolate o una cucharada de helado no hace que una dieta sea insana. Comer cantidades moderadas de azúcar y grasas está en el contexto de la dieta sana. Segundo, los antojos femeninos no se limitan a los alimentos de alto contenido en grasas y en azúcar. Si se le permite, el cuerpo de la mujer guía a su poseedora hacia la dieta más óptima para el cuerpo y la mente, y ahí entra una amplia gama de alimentos, desde el chocolate al pollo y a la col. Aquellas mujeres que sintonizan con su cuerpo y satisfacen normalmente sus antojos son más dadas a recibir mensajes alimentarios variados. A veces aún tienen antojo de chocolate y de dulce, pero también de pan, galletas saladas, cereales, frutas y verduras. **Si hace caso de su cuerpo y responde a sus necesidades, su dieta ganará en calidad nutritiva.** Aprendiendo a confiar en su cuerpo, comprobará que con frecuencia desea aquellos alimentos que contienen los nutrientes que su cuerpo necesita.

- Si su cuerpo necesita vitamina C, puede desear naranjas.
- Si su cuerpo necesita magnesio, puede desear espinacas.
- Si su cuerpo necesita betacaroteno, puede desear zanahorias.
- Si su cuerpo necesita hierro, puede desear carne roja.
- Si su cuerpo necesita calcio, puede desear leche.
- Si su cuerpo necesita sal, puede desear encurtidos.

Cuando se fíe de su cuerpo y haga caso de él, éste empezará a reclamar aquellos alimentos que están colmados del nutriente concreto que necesita. No es una idea nueva. Algunos de los estudios más interesantes que se han realizado sobre los antojos se han hecho con niños y con embarazadas. Si se les ofrece una amplia variedad de alimentos, los niños escogen la combinación de alimentos que es más adecuada para proporcionar las vitaminas y los minerales que su cuerpo necesita. Los antojos son extremadamente comunes durante el embarazo, e incluso los más estrambóticos tienen su explicación biológica. Todas hemos oído hablar, y tal vez experimentado, del fenómeno de encurtidos con helado. El calcio, el azúcar y la grasa del helado, más la sal de los encurtidos, forman una combinación que se necesita durante el embarazo. Incluso la *pica*, o antojo de sustancias no alimenticias como arcilla, excrementos y tiza, puede explicarse como una respuesta adaptativa para conseguir nutrientes; poseen un contenido mineral equivalente a las vitaminas prenatales. Se ha documentado que en Tailandia, las embarazadas comen madera putrefacta. Costó algún tiempo descubrir por qué, pero la bacteria que descompone la madera aporta las vitaminas B que faltan en su dieta.

¿De qué alimentos rebosantes de nutrientes (que no sea la madera putrefacta) ha tenido usted antojo? Piense en frutas, verduras, granos, productos lácteos, y alimentos proteínicos. Reflexione un momento y anótelos.

Sean cuales sean los alimentos que usted haya anotado, estoy segura de que podría encontrar una explicación nutricional y biológica para el antojo.

Julie quiere una explicación para su ocasional e intenso deseo de kiwi. Cuando le digo que el contenido de potasio de esta fruta es más alto que el de la mayoría de los alimentos, comprende que su cuerpo está probablemente bajo de potasio y necesita el kiwi. Satisfecha con la explicación, quiere saber ahora por qué le apetecen ostras crudas una vez al mes. Aunque esperaba oír una respuesta que hablara de afrodisíacos, tiene más sentido descubrir que dos ostras aportan la dosis de zinc que se recomienda para cada día.

Si su lista de alimentos cargados de nutrientes ha quedado en blanco, vuelva a ella tras completar las cinco semanas del Plan **ON.** A medida que vaya alentando y permitiendo a su cuerpo enviar mensajes, usted será más consciente de todas sus necesidades de diversos alimentos.

«¿Por qué no puedo obligar a mi cuerpo a exigir sólo los alimentos sanos y llenos de nutrientes? Ahora empiezo a tener más antojos de fruta, verdura y cereales, pero todos los días aún tengo deseo de una galleta de chocolate.»

¿Desde cuándo comer una galleta de chocolate tilda de insana una dieta? La respuesta es: desde que hemos empezado a dividir los alimentos en «sanos» o «insanos» y nos han hecho creer que comer alimentos «insanos» es llevar una dieta insana.

Primero, ningún alimento por sí solo determina la calidad nutritiva de la dieta. Y segundo, algunos de los alimentos que usted considera insanos pueden no serlo. Me gustaría que realizara la actividad que a continuación propongo para reprogramar esta mentalidad de alimento sano/insano. Examine cuidadosamente la lista siguiente y valore cada alimento acompañando la valoración con una breve explicación.

	¿Sano?	¿Insano?	¿Por qué?
chocolate	______	______	______
algarroba	______	______	______
helado	______	______	______
helado de yogur desnatado	______	______	______
pasta	______	______	______
hamburguesa	______	______	______
patatas fritas	______	______	______
patatas al horno	______	______	______
leche desnatada	______	______	______
leche entera	______	______	______
zanahoria	______	______	______
plátano	______	______	______
panecillo	______	______	______
bollo de salvado	______	______	______
galletas con fibra	______	______	______
galletas saladas	______	______	______
gambas	______	______	______
tofu	______	______	______
margarina	______	______	______
mantequilla	______	______	______
mayonesa	______	______	______
mayonesa sin colesterol	______	______	______

Probablemente es bastante fácil hacer esta lista porque el debate sobre la buena o la mala alimentación ya tiene una década de antigüedad, y cualquier alimento que contenga grasa, azúcar o sal se considera rematadamente malo.

Pero ¿sabía usted que todos los alimentos que ha marcado como sanos pueden fácil y rápidamente pasar a ser insanos? La mayoría de la gente estima que la pasta es sana; no tiene grasas, colesterol ni azúcar. Sin embargo, por alguna razón creemos que la pasta debe amontonarse sobre el plato en cantidades ingentes (por no mencionar el queso parmesano que ponemos encima y el pan de ajo para acompañar). Como cualquier alimento, la pasta no es sana cuando se come en exceso. El cuerpo necesita una determinada ración (una taza) y aprovecha la primera taza, pero la segunda (¿y la tercera?) se convierten en grasa y se almacenan como grasa. Una taza de pasta es sana; medio kilo, no.

Esta misma explicación vale para cada uno de los alimentos de la lista que usted ha valorado como sanos: leche desnatada, panecillos, etc. Comerlos en exceso hace de ellos alimentos insanos. La forma de almacenaje de todos los alimentos es la grasa. Incluso aunque no la contenga, cuando se come más de lo que se necesita, se transforma en grasa y se acumula como grasa. Al final acaba alimentando las células grasas, no el cuerpo y la mente.

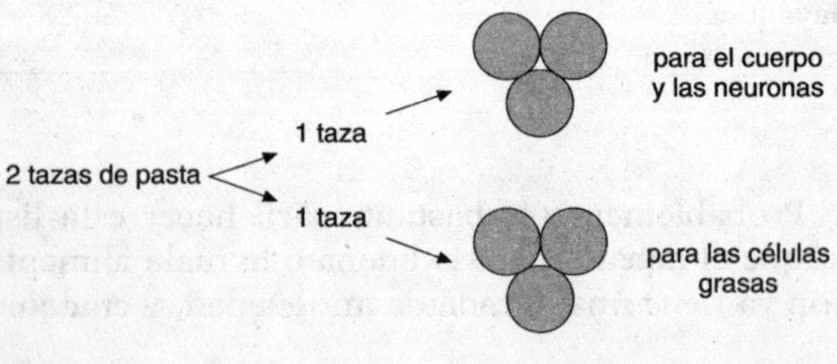

Además, hay alimentos calificados de sanos que no merecen plenamente esa valoración. El tofu es uno de ellos. Se ha dicho que es uno de los principales alimentos sanos porque es una proteína vegetal libre de colesterol o de grasas saturadas, pero sigue siendo alto en grasas porque el 50 % de las calorías que contiene se deben a grasas insaturadas. Dos ejemplos más: la margarina y la mayonesa libre de colesterol. Ninguna de las dos contiene colesterol, pero son grasas en un 100 %.

Ahora examinemos algún alimento que usted haya valorado como insano. La mayoría estimamos que las patatas fritas lo son precisamente por estar fritas. Quizá sea difícil convencerla de que pueden ser una opción sana, pero lo intentaré. Si su cuerpo pide patatas fritas, es que probablemente necesita grasa o la combinación de sal, grasa y fécula que ofrecen, y si usted come un puñado cuando tiene hambre, el cuerpo las quemará para realizar todas sus funciones; no serán almacenadas en las células grasas ni se incrustarán en las arterias.

Una pequeña cantidad de cualquier alimento es sana; una gran cantidad de cualquier alimento es insana.

«Así pues, me está diciendo que todos los alimentos son buenos ingeridos con moderación. Estoy harta de oír la palabra *moderación*. Lo único que practico con moderación *es* la moderación.» Sí, es la teoría de «la moderación es la clave de la salud», pero desde una perspectiva distinta. Esta vez se trata de moderación tal como la definen las necesidades de su cuerpo, y de moderación con todos los alimentos, ya sean tildados de sanos o de insanos.

De hecho, la definición de alimentación sana es relativa. Depende de la cultura, las creencias y la disponibilidad de alimentos. En los países empobrecidos, todo alimento se considera sano porque ayuda a sustentar la vida. En otras partes del mundo, se consideran sanos alimentos que a nosotros jamás se nos ocurriría comer. Por ejemplo, en Sri Lanka un plato que aparece con frecuencia en la mesa son las cucarachas, y en ciertas regiones de China se comen las abejas. Quizá usted no considere que las cucarachas y las abejas constituyan un bocado sano, pero los habitantes de Sri Lanka y de China sí.

Espero haber salido con bien del empeño de transformar estos tres temores sobre los antojos en revelaciones: ¡Se *puede* parar de comer, *no* ganar peso y la dieta *será* sana! Ahora transformemos la incertidumbre en confianza.

Podrá *identificar un antojo biológico*

Antes de que pueda usted fiarse plenamente de sus antojos, tiene que ser capaz de diferenciar entre un antojo biológico y un antojo emocional.

Muchas mujeres me preguntan:

> «¿Cómo puedo estar segura de que se trata de un antojo biológico? ¿Qué pasa si es un antojo emocional? ¿Cómo puedo distinguirlos?»

La gran diferencia estriba en que los antojos biológicos se basan en las necesidades de su *cuerpo*, y los antojos emocionales en las necesidades de su *corazón*... pero a veces no basta con saberlo.

Puede servirse de diversas técnicas para distinguir entre un antojo biológico y uno emocional. Uno de los mejores instrumentos es el *hambre*. **El hambre siempre precede a los antojos biológicos.**

El antojo es biológico si:

- usted *está* fisiológicamente hambrienta
- no desaparece cuando intenta esperar a que pase
- se intensifica dejando pasar el tiempo
- nada satisface el antojo excepto el alimento que se desea

En comparación, el antojo es emocional si:

- usted *no* está fisiológicamente hambrienta
- desaparece si intenta esperar a que pase
- no se intensifica dejando pasar el tiempo, y en cambio se intensifica la emoción
- haciendo cualquier otra cosa se satisface la necesidad real y desaparece el antojo

Ser consciente de las señales de hambre fisiológicas le dará confianza para satisfacer los antojos. Sin embargo, del mismo modo que los antojos resultan extraños y alarmantes para algunas mujeres por haberlos rechazado tanto tiempo, así ocurre con las señales de hambre. El hambre es un mensaje natural, interno, que hemos intentado ignorar, combatir y anular. Nos han dicho que rechacemos el hambre, que no cedamos, que esperemos hasta estar extremadamente hambrientas antes de comer, que no confiemos en el hambre.

Pues bien, el hambre está definitivamente de nuestra parte. Cuando usted tiene hambre, es que necesita alimentarse; entonces aflora el deseo de los alimentos concretos que usted necesita. Cuando después ingiere ese alimento y está completamente satisfecha, se encuentra estupendamente y ya no tiene hambre.

¿Cuáles son sus señales de hambre fisiológicas? Conocer las señales de hambre que usted en concreto tiene es vital para el éxito del Plan **ON**. Estas señales pueden venir del estómago informándole de que está vacío, o del cerebro informándole de que le falta aporte de energía.

Señales del estómago	**Señales del cerebro**
gorgoteos	aturdimiento
punzadas	falta de concentración
sensación de hueco	dolor de cabeza
sensación de vacío	fatiga

–Me parece que mi cuerpo no transmite ninguna señal de hambre. No estoy segura de haberme sentido hambrienta nunca –dice Jessica.

Le preocupa no tener señales de hambre. Pero las tenía; lo único que pasa es que las ha ignorado tanto tiempo que desistieron por falta de atención. Cuando empiece a prestarles atención, aparecerán de nuevo.

Para ayudarla a familiarizarse con las señales de hambre del cuerpo, veamos la Escala de Valoración de Hambre/Saciedad.

ESCALA DE VALORACIÓN HAMBRE/SACIEDAD

10 – absoluta y decididamente atiborrada.
9 – tan llena que empieza a perjudicar.
8 – muy llena e inflada.
7 – empieza a sentirse molesta.
6 – ha comido ligeramente de más.
5 – perfectamente a gusto.
4 – primeras señales de que es hora de comer.
3 – fuertes señales para comer.
2 – muy hambrienta, irritable.
1 – hambre extrema, aturdimiento.

Si está en el nivel 5 o por encima, no tiene hambre y por tanto su cuerpo y su cerebro no necesitan nada. Si siente antojo de algo, no es biológico, sino emocional. Satisfaga la necesidad emocional real ocupándose de sí misma de otra manera distinta y más eficaz. Pregúntese qué necesita de verdad: ¿hablar con una amiga?, ¿aporrear una almohada?, ¿darse un baño?

Si está en el nivel 3 o 4, su cuerpo le está diciendo que necesita comer algo, y sus antojos le dicen qué alimento específico necesita. Éste *es* el antojo biológico femenino.

Si se encuentra en el nivel 1 o 2, el cuerpo está demasiado hambriento y aunque su antojo sea biológico, seguramente acabará comiendo en exceso, temiendo engordar y después volviendo a privarse.

El hambre *siempre* precede a los antojos biológicos, pero no a los emocionales. Hay otra técnica que ayuda a distinguir entre el hambre del cuerpo y el hambre del corazón: **el estado de ánimo negativo siempre precede a los antojos biológicos y la mejoría en el estado de ánimo es el resultado de haberlos satisfecho.**

Cuando los antojos biológicos responden a una solicitud de ayuda por parte del cerebro para elevar el nivel de una sustancia química cerebral placentera (lo que a menudo es el caso), usted puede entonces sentirse triste, estresada, cansada, ansiosa o enfadada. Y comer el alimento deseado la hará sentir mejor.

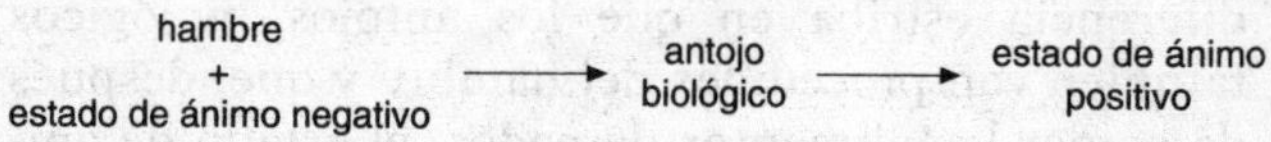

Cuando experimenta un antojo emocional, también puede sentirse triste, estresada, cansada, ansiosa o enfadada –lo mismo que arriba–, pero la similitud acaba aquí. Tras comer el alimento deseado, usted no se sentirá mejor y posiblemente incluso se sienta peor. No se ha ocupado de sus necesidades reales y así, la depresión, la ira u otro sentimiento cualquiera persisten y se intensifican.

sin hambre + estado de ánimo negativo → antojo emocional → estado de ánimo negativo y más intenso

Para diferenciar entre antojos negativos biológicos y emocionales, es tan importante ser consciente de sus estados de ánimo como serlo del grado de hambre. Este reconocimiento puede ser más difícil de lo que usted cree. Cuando le preguntan: «¿Cómo está?», ¿qué contesta usted? La mayoría de la gente responde con un «bien». Con mucha frecuencia esta respuesta no refleja los verdaderos sentimientos, es tan sólo una respuesta fácil.

Para ayudarla a identificar sus sentimientos y estados de ánimo concretos, le pido que cambie la formulación de la pregunta «¿Cómo estoy?» por «¿*Qué* siento?». Utilice la siguiente lista de diez estados de ánimo para contestar específicamente la pregunta, cinco estados de ánimo negativos y otros tantos positivos. Los antojos biológicos suelen ir precedidos de estados de ánimo negativos, pero también es el caso de los antojos emocionales. La diferencia estriba en que los antojos biológicos también van precedidos del hambre y que, después de comer los alimentos deseados, el estado de ánimo mejora.

ESCALA DE ESTADOS DE ÁNIMO

Estados de ánimo negativos	Estados de ánimo positivos
triste	feliz
enfadada	contenta
ansiosa	calmada
estresada	relajada
cansada	dinámica

Así pues, cuando no esté completamente segura de si el antojo es emocional o biológico, dispone de dos instrumentos: la escala del hambre y la escala de los estados de ánimo. Utilícelas y hágase algunas preguntas importantes:

¿Tengo hambre?
¿Qué siento?
¿Servirá de algo la comida?
¿Qué necesito de verdad?

Retrasar un poco el momento de satisfacer el antojo también puede ayudar a identificar qué sucede en realidad. Aplique la *prueba de los quince minutos*: beba un vaso de agua y espere quince minutos, luego hágase aquellas preguntas. Si tiene hambre y el antojo persiste, es muy probable que el antojo sea biológico.

Muchas mujeres comen por razones emocionales, y en algunos casos puede ser a diario. Si estas técnicas no le sirven de ayuda y usted sabe que es una comedora emocional, le aconsejo enérgicamente que recabe la ayuda de un terapeuta profesional. Seguirá usted empleando la comida como alimento emocional hasta que ya no le haga falta. Si la depresión se debe a un divorcio, si la ansiedad se debe al paro forzoso, si la fatiga se debe a una semana de ochenta horas de trabajo, entonces tiene que ocuparse de la raíz de estos sentimientos.

Usted *puede* fiarse de los antojos cuando *tiene hambre* y ha identificado sus *sentimientos*.

¡ALTO! ¿TIENE AHORA MISMO ALGÚN ANTOJO?

Si lo tiene y además está hambrienta, deje el libro, satisfaga el antojo y vuelva con el espíritu renovado.

De vez en cuando a lo largo de este libro, le pediré que deje de leer, descanse un momento y verifique si tiene antojos. Quiero acostumbrarla a reconocer y responder a sus necesidades instintivas de comida.

Ahora que ya posee el conocimiento y las habilidades necesarias para fiarse de los antojos, pongamos en práctica esta primera fase.

SEMANA 1: Plan de AcciÓN.

FASE 1: Confíe en sus antojos.

OBJETIVOS:

1. Identificar y superar los temores relacionados con los antojos.
2. Tomar consciencia de las señales de hambre y de los estados de ánimo.
3. Distinguir entre antojo biológico y antojo emocional.
4. Empezar a responder a los antojos.

TÉCNICAS:

1. Identificar las razones por las que come en exceso y teme ganar peso.
2. Satisfacer de inmediato los antojos con cantidades pequeñas.
3. Probar el experimento matutino.
4. No comer «circunvalando» el antojo.
5. Reconocer que también tiene antojo de frutas, verduras, cereales, productos lácteos y alimentos proteínicos.
6. Reevaluar la definición de dieta sana.
7. Someter el antojo a la prueba de los quince minutos.
8. Hacerse las preguntas: ¿tengo hambre?, ¿qué siento?, ¿qué necesito de verdad?
9. Utilizar la Escala de Valoración Hambre/Saciedad.
10. Utilizar la Escala de Estados de Ánimo.
11. Llevar un registro de comidas durante la semana para practicar estas técnicas.

Tras cada capítulo, le pediré que pare una semana y se concentre en la fase concreta del Plan **ON**. Alguna de ustedes podría estar tentada de leer todo el libro de un tirón. Si tal fuera el caso, vuelva a esta página y empiece de verdad el programa.

También insistiré en que se lleve algún registro, pero no los típicos en los que hay que anotar las cantidades exactas y contar las calorías. ¡En este plan no se cuentan calorías! Son *registros de comidas* que la animarán a comer aquello de lo que tiene antojo y a tomar consciencia de todas sus necesidades alimentarias.

En esta primera semana del Plan **ON**, el objetivo es ayudarla a adquirir fe y confianza en sus antojos biológicos. Lo principal será ir cotejando con su cuerpo para que éste pueda decirle si tiene antojo de un alimento concreto, si tiene hambre (porque el hambre siempre acompaña a los antojos biológicos), y cómo se encuentra. En realidad no me interesan ni los alimentos de los que tiene antojo ni cuánto come; sólo me interesan los mensajes de su cuerpo.

En las páginas siguientes hay un registro de comida para que sirva de ensayo, y otro en blanco para la primera fase del Plan **ON**. Cada hora, anote si ha sentido algún antojo, su grado de hambre, su estado de ánimo, y luego determine si se trata o no de un antojo biológico. Si es biológico, ¡no dude en satisfacerlo!

Cabe la posibilidad de estar hambrienta y no tener antojo de ningún alimento en particular. A veces el cuerpo solamente quiere calorías y es indiferente a la fuente de esas calorías. Los antojos biológicos afloran tan sólo cuando el cuerpo y/o el cerebro necesitan algo. Incluso si pasa un día o dos sin que haya antojos, no hay de qué preocuparse. Con la práctica, dominará usted el arte de prestar atención a su cuerpo.

REGISTRO DE COMIDAS PARA CONFIAR EN LOS ANTOJOS

Hora	Antojo	Grado de hambre	Estado de ánimo	¿Biológico o emocional?	¿Lo satisfizo?
6.00	*no*				
7.00	*pan*	*4*	*cansada*	*biológico*	*¡sí!*
8.00	*no*				
9.00	*no*				
10.00	*galleta*	*3*	*ansiosa*	*biológico*	*sí, me encontré mejor*
11.00	*no*				
12.00	*no creo*				
13.00	*ensalada*	*3*	*bien*	*biológico*	*sí, necesitaba comer verde*
14.00	*no*				
15.00	*caramelo*	*5*	*estresada*	*emocional*	*sí, no puedo evitarlo*
16.00	*chocolate*	*6*	*estresada*	*emocional*	*¡no!*
17.00	*no*				
18.00	*no*				
19.00	*pollo*	*3*	*contenta*	*biológico*	*sí*
20.00	*no*				
21.00	*no*				

REGISTRO DE COMIDAS PARA CONFIAR EN LOS ANTOJOS

Hora	Antojo	Grado de hambre	Estado de ánimo	¿Biológico o emocional?	¿Lo satisfizo?

5

FASE 2: DESCUBRA LOS ALIMENTOS QUE LE PROPORCIONAN PLACER

–Siempre había creído que los alimentos ricos en azúcar eran los que daban a mi ánimo y energías el empuje más grande, pero ahora me doy cuenta de que cualquier efecto beneficioso del azúcar no dura mucho, y que son los alimentos ricos en fécula los que me mantienen en una excelente forma durante períodos de tiempo más prolongados. Antes solía tener antojo de caramelos, refrescos y postres, pero desde que empecé a fiarme de los antojos y a hacer caso de mis necesidades alimentarias, el pan y la pasta están a la cabeza de mi lista de alimentos favoritos –dice Jessica.

Espero que todas ustedes, igual que ella, lleguen a darse cuenta de esto. Los antojos coinciden con los alimentos que nos dan placer. Complacen al cuerpo y a la mente haciéndonos sentir y funcionar tan bien como cabe. Y puesto que los alimentos ricos en fécula (¡y el chocolate!) mantienen el cerebro en un estado de permanente contento, no hay que dudar que él los elegiría casi siempre. Puede costar un poco que el cerebro y el cuerpo le den a conocer cuáles son los alimentos que más placenteros les resultan; pero esta próxima fase del Plan **ON** les ayudará a expresar sus enérgicas opiniones.

Lo que usted desea comer es el reflejo de aquello que necesita, de aquello que a usted le hace encontrarse bien... y sus antojos pueden ser muy diferentes de los míos o de los de sus amigas. Debido a estas diferencias, no me es posible facilitar una lista completa de los alimentos que a nosotras nos causan placer; es usted quien ha de elaborar su lista propia.

Lo que a usted le resulta placentero comer viene influido por la disponibilidad de alimentos, las preferencias, las experiencias de la infancia, las papilas gustativas, el metabolismo y la bioquímica. Los niveles hormonales también influyen mucho. Sus apetitos diez días antes del período pueden ser muy distintos a los del día anterior al período. Sus demandas alimentarias en la posmenopausia pueden ser diferentes a las de la premenopausia.

Estoy segura de que ahora mismo podría usted hacer una lista con alguno de sus alimentos favoritos, pero espero que, tras leer este capítulo, llegue a poseer nuevos conocimientos y se lleve unas cuantas sorpresas.

Siempre sentirá que de vez en cuando tiene antojo de chocolate (¿a menudo?, ¿siempre?), de azúcar, de grasas y de sal, pero si verdaderamente presta atención a lo que le dice el cuerpo, casi siempre tendrá antojo de fécula. ¿Por qué? Porque la fécula es la compañera de por vida del cerebro.

Fécula: la eterna compañera del cerebro

Si las mujeres hubiéramos sabido del inmenso bien que la fécula hace al cuerpo y al cerebro, nunca habríamos reducido nuestra ingesta en un 25 % a lo largo de estos cincuenta últimos años. No nos habríamos dedicado a pedir para cenar el menú bajo en calorías. Nunca habríamos seguido innumerables dietas bajas en carbohidratos para conseguir adelgazar. No es de extrañar que nos quejáramos de irritabilidad. El contenido en carbohidratos de las dietas adelgazantes era demasiado bajo como para que se liberara serotonina, y así el cerebro quedaba privado de las sustancias químicas calmantes.

Ahora ya no hay necesidad de restringir el consumo de féculas. No son enemigas nuestras, sino más bien firmes aliadas que estabilizan los ánimos y la energía, al tiempo que aportan un sabor y una satisfacción excepcionales.

En los cursillos suelen hacerme siempre una pregunta: «¿Cuál es la diferencia entre las féculas y los carbohidratos complejos?» No hay diferencia alguna; ambos términos se emplean para clasificar por categorías los cereales y sus derivados, que están compuestos por cientos de moléculas de glucosa unidas una a otra. Ya se trate de pan, galletas saladas, cereales, pasta o patatas, químicamente todas se parecen a esto (G = Glucosa):

G - G - G - G - G - G - G - G - G - G - G - G

Para que las féculas sean digeridas, deben descomponerse en moléculas más simples con la intervención de las enzimas digestivas. Primero, hay una enzima encargada de romper en dos el carbohidrato complejo:

G - G - G - G - G - G / G - G - G - G - G - G

Después, otra enzima se encarga de partir la cadena otra vez por la mitad:

G - G - G / G - G - G / G - G - G / G - G - G

Y así sucesivamente hasta que la larga y compleja molécula de fécula queda descompuesta en monomoléculas de glucosa listas para ser absorbidas por el torrente sanguíneo.

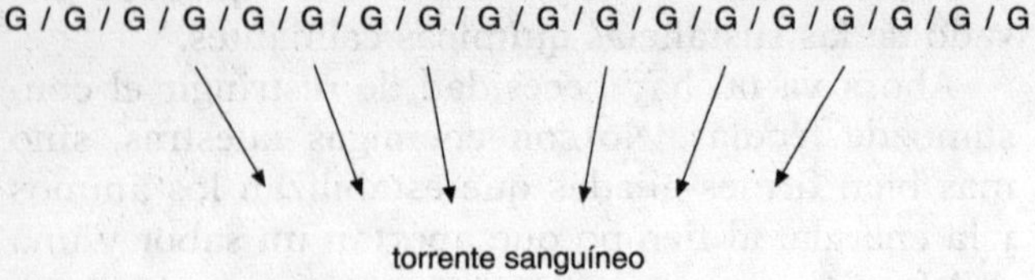

Todo el proceso digestivo de la fécula lleva su tiempo y transcurren aproximadamente dos horas hasta que toda la fécula es descompuesta en glucosa y absorbida por el torrente sanguíneo. A lo largo de este período de dos horas, se van elevando la glucosa y la insulina de la sangre. La insulina es la hormona encargada de transportar la glucosa desde el torrente sanguíneo hasta las células. Cada célula, para funcionar, necesita glucosa, pero las neuronas deben disponer de una fuente constante de glucosa, por lo que parecen ser las que más la demandan.

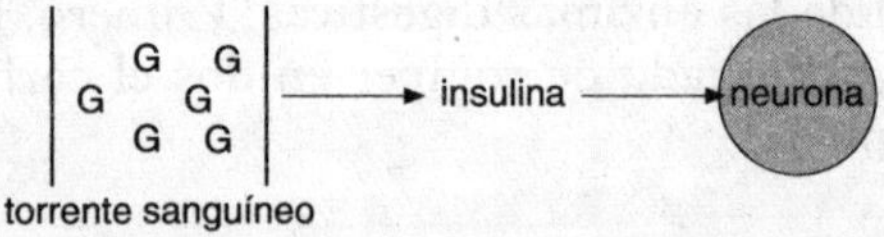

Los efectos lentos y regulares de la fécula mantienen una fuente de energía constante para el cerebro. El cerebro obtiene lo que necesita para funcionar eficientemente; está del todo complacido porque usted ha optado por las féculas y se lo hace saber optimizando su nivel de energía, productividad y concentración.

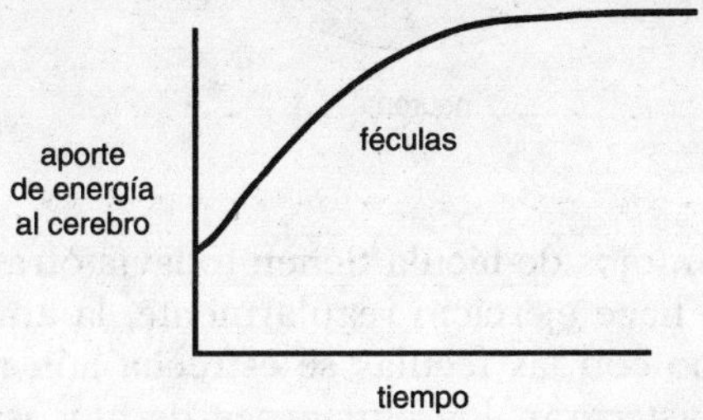

El cerebro también sabe apreciar los efectos de la fécula sobre los niveles de serotonina. La digestión de la fécula permite que los materiales de construcción de serotonina vayan entrando en el cerebro a un ritmo perfecto y mantengan constantemente en marcha la producción de serotonina. El resultado es que usted se siente calmada, relajada y en paz durante horas.

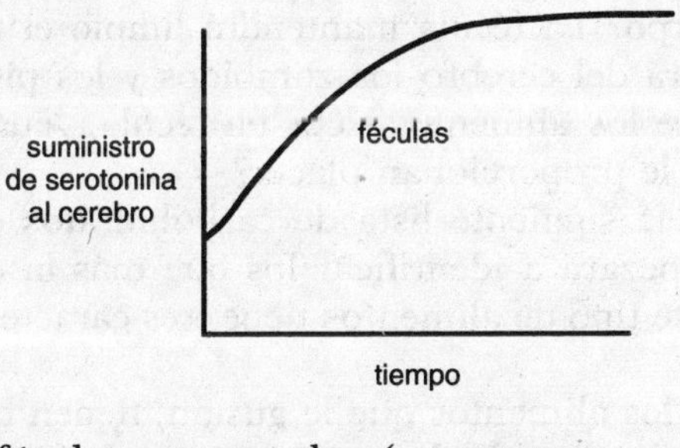

Las féculas no engordan (a menos que se coman en exceso); son las compañeras de por vida del cerebro porque son beneficiosas para la energía y los niveles de serotonina del cerebro.

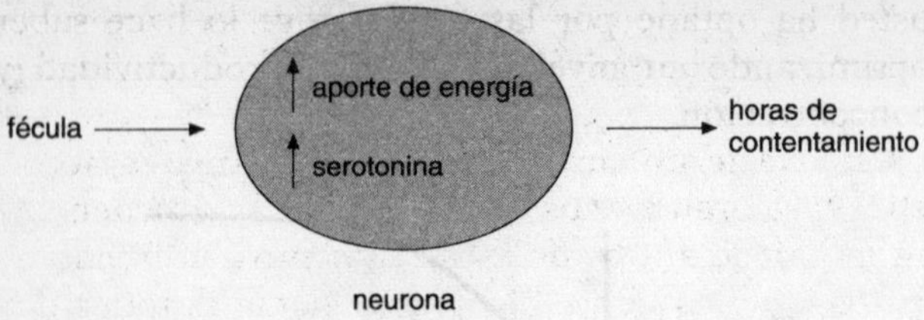

Los antojos de fécula tienen todavía otra ventaja. Si usted hace ejercicio regularmente, la amistad de su cuerpo con las féculas se estrecha aún más. Éstas reabastecerán los almacenes de glucosa de los músculos y el hígado (llamados almacenes de glicógeno) que movilizaron fuerzas mientras usted paseaba, iba en bicicleta o hacía aerobic. Satisfacer los antojos de fécula le dará más energía durante la realización de los ejercicios.

Se mire por donde se mire –energía en los ejercicios, energía cerebral o estabilidad de ánimo– la fécula aporta al cuerpo un combustible de primerísima calidad. Si ponemos la mejor gasolina en nuestro coche, ¿por qué no poner el mejor combustible en nuestro cuerpo? La fécula mantendrá limpio el motor y eliminará del cerebro los zumbidos y los pistoneos.

Entre los alimentos ricos en fécula, ¿cuáles son los que le proporcionan placer?

Con la siguiente lista de carbohidratos complejos, empezará a identificar los que más la complacen. Este tipo de alimentos tiene tres características:

1. Son los alimentos que le gustan, tienen buen sabor para usted y la satisfacen.
2. Son los alimentos que usted desea vivamente cuando tiene hambre y su estado de ánimo necesita elevarse.

3. Son los alimentos que revitalizan sus ánimos, energía y cuerpo.

Usted determinará si reúnen estas tres características valorando sus preferencias, la frecuencia con que tiene antojo de estos alimentos, la frecuencia con que los come y cómo se siente después de haberlos comido.

¿Con qué frecuencia tiene antojo de alimentos feculentos que no le gustan? Probablemente nunca. Éstos no son para usted los alimentos que le proporcionan placer.

¿Con qué frecuencia siente deseo de comer alimentos ricos en féculas que no le gustan pero tampoco le disgustan? No muy a menudo. Es improbable que éstos sean los alimentos que buscamos.

¿Con qué frecuencia siente antojo de alimentos de alto contenido en fécula que le gustan y le hacen sentir bien? Casi siempre. **Éstos son los alimentos que le proporcionan placer.** Vuelva a la lista y marque con un círculo estos alimentos.

Ahora vamos con una pregunta interesante: ¿con qué frecuencia *come* esos alimentos que le gustan, desea vivamente y le hacen sentir bien?

- Si los ha venido rechazando y acostumbra hacer dietas, probablemente muy pocas veces.
- Si acaba de empezar a fiarse de y prestar atención a sus necesidades alimentarias, quizá algunas veces.
- Tras terminar el Plan **ON**, espero que la respuesta sea firmemente a menudo.

Otra pregunta que puede acudir a la mente es: si la fécula es el alimento más placentero para nosotras las mujeres y la mejor compañera para mi cerebro, ¿por qué tengo antojos de azúcar? Hay varias explicaciones posibles:

- No ha estado sacando provecho de las féculas en cuanto a los efectos beneficiosos que tienen para el cerebro y necesita una reparación rápida (cuando empiece a comer más féculas, comprobará que tiene menos antojos de azúcar).
- Las fluctuaciones hormonales previas a la menstruación o propias de la menopausia han hecho descender rápidamente los niveles de serotonina y su cerebro demanda azúcar.
- Está muy hambrienta y el nivel de azúcar en sangre es bajo.
- El cerebro está respondiendo a cambios de humor rápidos y ansía azúcar para automedicarse.
- El pastel Selva Negra tiene tan buena pinta que ha de comer un pedazo tanto si el cerebro lo necesita como si no (no podemos infravalorar el poder de las papilas gustativas instándonos a comer de vez en cuando).

El azúcar produce los mismos cambios biológicos que la fécula, pero sus efectos tienen una duración diferente. En lugar de ser una compañera para toda la vida, el azúcar se parece más a un breve romance.

Azúcar: una relación agridulce

La parte dulce del azúcar es que eleva rápidamente los niveles de azúcar en sangre y la serotonina, y es como un botiquín de primeros auxilios para el cerebro en casos de emergencia. La parte amarga es que el azúcar sólo repara el cerebro temporal-

Alimento	¿Le gusta? (sí, no, neutral)	¿Tiene antojo? (nunca, a veces, a menudo)	¿Lo come? (nunca, a veces, a menudo)	¿Cómo se siente después de comerlo?
pan integral	________	________	________	________
pan blanco	________	________	________	________
pan pita	________	________	________	________
panecillo	________	________	________	________
bollos	________	________	________	________
torta de maíz	________	________	________	________
baguete	________	________	________	________
croissants	________	________	________	________
colines	________	________	________	________
crackers	________	________	________	________
palomitas	________	________	________	________
bizcocho	________	________	________	________
patatas	________	________	________	________
arroz blanco	________	________	________	________
arroz integral	________	________	________	________
arroz pilaf	________	________	________	________
pasta	________	________	________	________
cereales	________	________	________	________

mente, y que a la subida sigue una bajada en la que los niveles de azúcar en sangre caen a plomo.

Igual que el término fécula es intercambiable con el de carbohidrato complejo, el azúcar lo es con el de carbohidrato simple. En realidad los términos son totalmente descriptivos. Los carbohidratos complejos son cadenas largas y más complicadas de moléculas de glucosa, y, como seguramente habrá adivinado, los carbohidratos simples son cadenas muy cortas de moléculas de glucosa: solamente dos por cadena.

G – G

Los carbohidratos simples son simples de comer, simples de digerir y simples de absorber. El primer, segundo y último paso del proceso digestivo consiste en partir la molécula por la mitad. Tan sólo se necesita una enzima y, *voilà*, las monomoléculas de glucosa ya están listas para ser rápidamente absorbidas por el torrente sanguíneo.

G / G

↓ ↓

torrente sanguíneo

Este proceso digestivo es tan simple que prácticamente no consume tiempo. En cuestión de minutos, la glucosa de la sangre va de subida y el cerebro se ve bombardeado con moléculas de energía. Suena de maravilla; sin embargo, los efectos positivos para el cerebro duran poco y suelen ir seguidos de un notable decaimiento de la energía y de los ánimos.

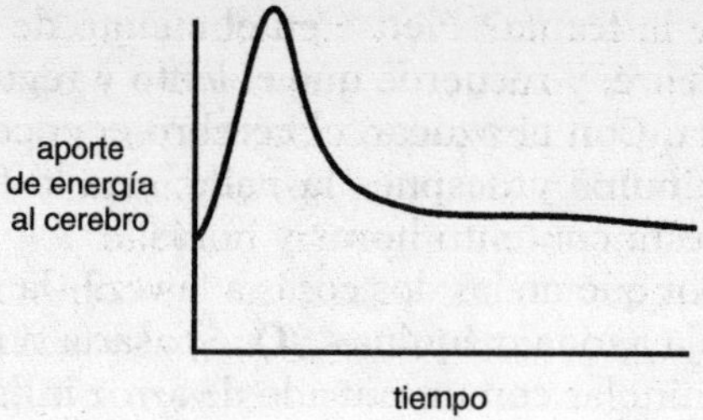

A los treinta minutos de comer algo dulce, puede sentirse irritable, cansada y apática. De hecho, se siente peor después de comer azúcar que antes de comerlo. Y es bastante probable que muy pronto vuelva a tener antojo de azúcar porque el cerebro necesita una recomposición rápida. He aquí una de las explicaciones biológicas de por qué cuando empezamos a comer azúcar parece que no podamos parar. El cerebro se siente como si estuviera en una montaña rusa con las subidas y las bajadas de azúcar. Sus ánimos, energía y productividad están atadas al asiento trasero de la montaña rusa, y padecen sin cesar el vaivén y el vapuleo en cada curva.

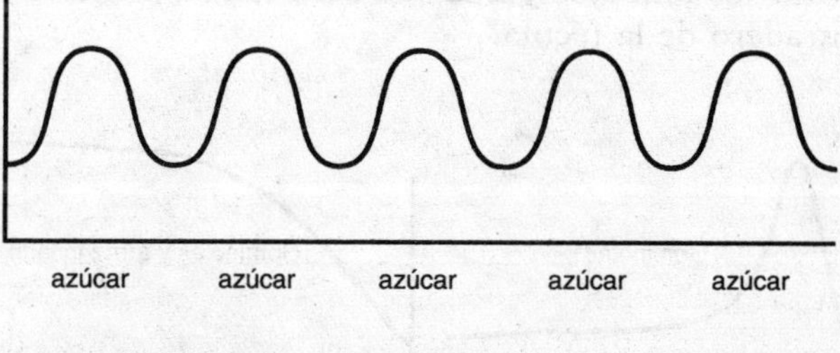

¿Cuál elegiría usted? ¿La rápida explosión de potencia del azúcar o el efecto beneficioso lento y uniforme de la fécula? Piense en el cuento de la tortuga y la liebre, y recuerde que el lento y regular gana la carrera. Con el azúcar, el cerebro conoce el éxtasis 20 minutos y después la nada; con la fécula, el cerebro está contento horas y horas.

–¿Y por qué no las dos cosas a la vez? –la mente de Liz trabaja a toda máquina–. ¿Qué pasaría si me como unas gominolas con un puñado de arroz inflado? ¿No me beneficiaría al mismo tiempo del estallido inmediato del azúcar y el efecto duradero de la fécula?

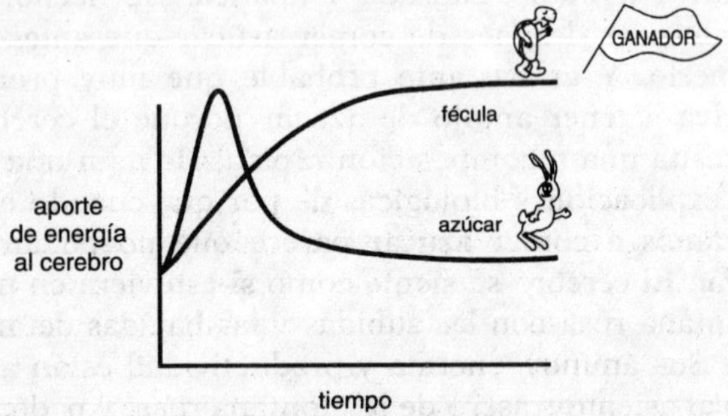

Liz tiene razón. Cuando sobre todo se desea azúcar, conviene acompañarlo con algo de fécula para evitar los altibajos y a la vez beneficiarse del efecto duradero de la fécula.

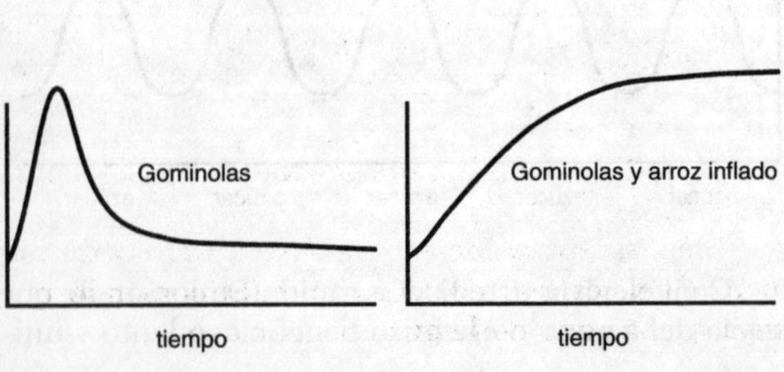

Si usted tiene antojo de azúcar, satisfágalo, pero tome también una pequeña cantidad de fécula para mitigar el efecto «montaña rusa» y conseguir uno más parecido al de la noria.

–En ese caso, ¿cuál es el mejor azúcar y cuál la mejor fécula? –pregunta Liz tratando de concretar.

Aquí no se trata de lo que sea «mejor»: es lo que usted prefiera y desee. Todas las féculas son creadas iguales y todos los azúcares son creados iguales. La miel, el azúcar de la fruta, el azúcar de mesa y el azúcar procesado son digeridos y absorbidos de la misma manera. Y cuando penetran en la sangre en forma de glucosa, el cerebro no distingue. Solamente sabe que obtiene la glucosa y la serotonina que necesita. Con los nuevos datos que van apareciendo sobre el índice glicémico de los alimentos (es decir, el efecto de los alimentos sobre la glucosa en sangre), no se alarme si oye decir que las patatas o el pan elevan el nivel de glucosa en sangre mucho más que los caramelos o la fruta.

Estos datos son importantísimos para los diabéticos que, tras años de restringir su consumo de azúcar, ahora pueden disfrutar con moderación de algunos dulces. ¡Más pruebas de que el azúcar no es un alimento prohibido!

¿Qué alimentos dulces son los que a usted le procuran placer?

Para ayudarla a identificar cuáles son, en la página 130 encontrará otra lista de alimentos para determinar sus preferencias, cuán a menudo siente antojo de ellos, con qué frecuencia los come y cómo se siente después.

¿Con qué frecuencia tiene usted antojo de alimentos dulces que no le gusten? (Suponiendo que haya alguno que no le guste.)

¿Con qué frecuencia siente usted antojo de alimentos dulces que la dejan indiferente?

¿Con qué frecuencia tiene antojo de alimentos dulces que le gustan y la hacen sentir bien? **Éstos son los alimentos que a usted la complacen.** Vuelva a la lista y márquelos con un círculo.

¿Con qué frecuencia *come* esos alimentos que le gustan y la hacen sentir bien? Esperemos que teniendo el Plan **ON** a su favor coma de esos alimentos y los acompañe con una pequeña cantidad de fécula.

Muchos de los alimentos dulces que comemos no tienen un 100% de azúcar. Tienen una sustancia añadida que realza su sabor y suaviza su consistencia. Este componente es la grasa. Todavía está en debate la cuestión de si lo que tenemos es antojo del azúcar o antojo de la grasa, o bien de las dos a la vez. Si nos basamos en las fluctuaciones hormonales y bioquímicas características de la mujer puede ser cualquiera de las dos posibilidades, ya que la grasa es una amiga tan íntima como el azúcar, y una vez que usted la invita a formar parte de la dieta, quizá le resulte difícil deshacerse de ella.

Grasa: una amiga pesada

La grasa es como esos invitados que nunca acaban de irse por muchas indirectas que les lancemos. Pasar juntos un rato puede ser agradable, pero si se eterniza, lamentamos su compañía. Un poco de grasa, sobre todo en el momento oportuno, es bien recibida; en cantidades excesivas se cobra su tributo y puede ser motivo de enfermedad.

La grasa en cantidad moderada es beneficiosa para el cuerpo y la mente de las mujeres porque:

1. Es un antojo característico y un alimento que nos da placer.
2. Mantiene contentas a las neuronas porque libera endorfinas.
3. Mantiene la piel sana con ácidos grasos esenciales y vitaminas solubles en grasa.
4. Mantiene contentas a las células grasas dándoles calorías para almacenar.

–¿Y por qué peregrina razón querría yo tener contentas a mis células grasas?

Janet era incapaz de entender por qué es preferible mostrarse amistosa y tratable con las células de grasa. Su objetivo siempre había sido el de matarlas de hambre y enterrarlas en la «Tumba a la Célula de Grasa Desconocida». Pero si usted no complace mínimamente a estas células, ellas se enfadan y contraatacan volviéndose aún más eficaces a la hora de almacenar y aumentando de tamaño.

Un poco de grasa es buena cosa, pero la línea de demarcación entre su capacidad benefactora y su nocividad es muy borrosa. Si seguimos una dieta muy alta en grasas, nuestras caderas y muslos aumentarán más de lo que nos gustaría; y no sólo eso, sino que además nuestro riesgo de enfermedad será más alto y tendremos resaca de grasa.

–¿Resaca de grasa? Es un magnífico término para definirlo, porque sé exactamente a qué se refiere. Te levantas aturdida, hinchada, como si te hubieras acabado una botella de vino en lugar de un paquete de galletas.

Esta sensación de resaca se debe a que el cuerpo intenta metabolizar los glóbulos de grasa que bombardean sin cesar el torrente sanguíneo.

Con moderación, la grasa es buena amiga; ni demasiada, ni muy poca. A menos que usted lleve un

Alimento	¿Le gusta? (sí, no, indiferente)	¿Tiene antojo? (nunca, a veces, a menudo)	¿Lo come? (nunca, a veces, a menudo)	¿Cómo se siente después de comerlo?
manzanas				
naranjas				
plátanos				
peras				
pomelos				
melón				
fresas				
arándanos				
frambuesas				
pasas				
ciruelas				
orejones				
zumo de naranja				
zumo de manzana				
zumo de piña				
caramelos				
azúcar quemado				
regaliz				
merenge				
gominolas				
gelatina de frutas				
piruletas				
refrescos				
azúcar de mesa				
galletas				
Donuts				
pastas de té				
helado				
helado de yogur				
leche merengada				
sorbetes				

tiempo intentando eliminar la grasa de la dieta, seguramente su problema no es que come muy pocas grasas. Sin embargo, llevadas por la última tendencia a reducirlas cada vez más, algunas mujeres pretenden comerlo todo «sin grasas», convencidas de que es el secreto para perder peso, hacerle la guerra al cáncer de mama y defenderse de las enfermedades cardiovasculares.

Llevar una dieta libre de grasas no es el secreto de la eterna juventud ni de la prevención de enfermedades. Son muchos los factores de riesgo y las variables que afectan a nuestra salud. En el caso de las mujeres, consumir pocas grasas presenta algunos problemas.

No hace mucho, Belinda pidió cita conmigo para hablar de lo que ella llama su «dilema con la grasa». Ella y su marido llevaban seis semanas siguiendo una dieta virtualmente libre de grasas.

–Él se encuentra de maravilla, se levanta rebosante de energía todas las mañanas, ha perdido seis kilos y medio y se ha convertido en un fanático de la comida. Mi experiencia con este supuesto plan de alimentación sana no podría ser más distinta. Estoy irritable, tengo la piel seca y escamosa, soy incapaz de levantarme por las mañanas, voy todo el día cansada... y ¡he engordado casi dos kilos! Figúrate. Ya no aguanto más. Tengo antojo de algunos alimentos ricos en grasas que antes ni se me hubiera ocurrido probar, y estoy a punto de considerar la posibilidad de darme un atracón de grasas. ¿Qué me pasa? ¿Me falta disciplina? ¿Tengo que restringir aún más la ingesta de grasas?

Si ha probado a seguir esta última tendencia de comer sin grasas, quizá ha tenido una experiencia similar a la de Belinda. Tal como fueron las cosas, a ella no le pasaba nada ni tampoco le faltaba nada, excepto la comida adecuada para que su cuerpo y su mente funcionaran eficazmente. Comer pocas grasas perturba a las células de grasa y dispara el mecanismo de respuesta frente a la inanición para conservar las grasas necesarias para la gestación y la lactancia. Las células del hombre son tan conformadas que ellos pueden seguir una dieta muy baja en grasas y recoger el fruto. Cuando nosotras intentamos hacer lo mismo, nuestro cuerpo nos informa con toda rapidez que nos equivocamos de camino.

¿Le informa también el cuerpo si come mucha grasa? Puede que llegue a conocer la resaca de grasa, pero en poco tiempo usted se acostumbra a ella, y la sensación de estar baja de energías y abotargada empieza a parecer normal. Un nivel alto de colesterol en sangre es señal de un exceso de grasa, pero usted no lo sabe a menos que le hagan un análisis. El aumento de peso es seguramente el indicio más obvio del exceso de grasa, pero puede atribuir tal cosa a los genes, a la edad, o a un metabolismo lento, y no reconocer que hay una fuerte relación entre causa y efecto. **Una dieta alta en grasas da como resultado un cuerpo alto en grasas.**

La mujer americana típica consume una dieta alta en grasas: el 37 % de las calorías que consume diariamente proceden de la grasa. ¿Es usted una típica mujer americana? Si lo es, entonces está comiendo más grasas que las que su cuerpo y su cerebro necesitan para funcionar a pleno rendimiento.

exceso de grasa: más del 30 % de las calorías totales
poca grasa: menos del 20 % de las calorías totales
la justa: de 20 a 30 % de las calorías totales

Si confía en sus instintos alimentarios y responde a ellos verá cómo, de forma natural, usted empieza a ingerir la cantidad justa de grasa; entre un 20 y un 30 % de calorías derivadas de la grasa es suficiente para que los ánimos se mantengan elevados gracias a las sustancias químicas del cerebro, para que la piel esté sana gracias a los ácidos grasos y las vitaminas solubles en grasa, y para que las células grasas estén contentas y con grasa suficiente para que no intenten responder a la inanición aumentando de peso. Comiendo la grasa justa, usted se beneficia de todos sus efectos positivos y evita las consecuencias de la privación.

–¿Existe un tipo de grasa «buena» para el cerebro igual que la hay para el corazón?

Terri se dedicaba a comprar aceite de oliva por garrafas creyendo que era beneficioso para el corazón. Quizá para el corazón el aceite de oliva sea mejor que la mantequilla, pero consumido en grandes cantidades no es bueno ni para el corazón ni para ningún otro órgano del cuerpo, incluido el cerebro. El exceso de grasas de origen vegetal produce tanta resaca como las grasas animales.

Sea cual sea el tipo de grasa, generalmente se consume junto con algo más que el cuerpo puede necesitar o no. Si usted siente antojo de patatas fritas, quizá sea por la grasa o quizá sea por la fécula, o tal vez por la combinación de grasa y fécula. Si usted siente antojo de caramelos, quizá sea por la grasa o tal vez por el azúcar, o de nuevo, por la combinación de ambos. Una vez tuve una cliente que tenía antojo de una pizca de mantequilla pura dos veces al mes. A mí la idea me estimula muy poco y se me revuelve el estómago, pero a ella le venía bien.

¿Qué alimentos de alto contenido graso son los que la complacen?

Conteste a la pregunta analizando cuáles son sus preferencias en cuestión de grasas, con qué frecuencia siente antojos, con qué frecuencia los satisface y cómo se siente después. Podía haber hecho una lista interminable, pero los alimentos que finalmente opté por incluir son aquellos que derivan de la grasa entre un 50 y un 100% de calorías.

¿Con qué frecuencia siente antojo de alimentos grasos que no le gustan?

¿Con qué frecuencia siente antojo de alimentos grasos que le resultan indiferentes?

¿Con qué frecuencia siente antojo de alimentos grasos que le gustan y la hacen sentir bien? **Éstos son los alimentos que le proporcionan placer.** Vuelva a la lista y marque con un círculo todos esos alimentos.

¿Con qué frecuencia *come* los alimentos que le gustan, desea y la hacen sentir bien?

Si a usted le gustan, desea, y se siente bien después de comer la mayor parte de los alimentos de esta lista, es muy posible que su dieta sea alta en grasas. ¡No tema! Ahora mismo, lo único que quiero es que tome consciencia de ello y que se fíe de los mensajes de su cuerpo. En los capítulos restantes, remataré la faena y la ayudaré a equilibrar la ingesta de grasa, y a conseguir una dieta moderadamente baja en grasas.

Tal vez se esté preguntando por qué no he incluido todavía el chocolate en ninguna de estas listas. Podía haberlo puesto en la lista de las grasas, pero la verdad es que creo que merece una categoría aparte.

Chocolate: suprema felicidad cerebral

Periódicamente los consumidores conspiran para que los chocolates adquieran rango de grupo exclusivo. Hasta ahora no lo han conseguido, ni es probable que lo hagan, pero a fin de que usted descu-

Alimento	¿Le gusta? (sí, no, indiferente)	¿Tiene antojo? (nunca, a veces, a menudo)	¿Lo come? (nunca, a veces, a menudo)	¿Cómo se siente después de comerlo?
mantequilla				
margarina				
nata				
crema de queso				
aliño de ensalada				
aceite de oliva				
aceite de maíz				
aceite de cártamo				
aceite de cacahuete				
tocino				
chicharrones				
aguacate				
patatas fritas				
aperitivos salados				
caramelos				
Donuts				
croissants				
queso				
pastel de queso				
tartas				
cacahuetes				
mantequilla de cacahuete				
bacon				
embutidos				
gambas fritas				
verduras fritas				

bra cuáles de entre todas sus variedades alimenticias son las que más la complacen, doy al chocolate una merecida y especial atención creando para él una categoría aparte.

Me doy cuenta de que ya he hablado varias veces de la composición química del chocolate, pero déjenme resumirla brevemente para destacar las cualidades que hacen de él un alimento excelso para el cerebro:

azúcar	grasa
feniletilamina	
teobromina	magnesio

El chocolate es el único alimento que combina todos estos ingredientes, además de otros igualmente placenteros para el cerebro que todavía no se han descubierto. El chocolate puede provocar una avalancha de serotonina y endorfinas en las neuronas, lo que llena el cerebro de una óptima felicidad. Por su notable efecto sobre la química cerebral, se ha dicho que el chocolate es el «antidepresivo no narcótico más eficaz», el «Prozac de las plantas», la «solución definitiva para combatir el SPM». A un farmacéutico amigo mío se le ocurrió la idea de recubrir el Prozac* de chocolate. Si no la lleva pronto a

* Fármaco de introducción relativamente reciente en España y que viene precedido de una gran polémica desde su aparición en el mercado estadounidense, donde se dice que es el secreto de la felicidad, mientras otros aseguran que puede crear graves trastornos de personalidad. *(N. de la t.)*

la práctica, estoy convencida de que algún otro empresario se le adelantará.

Si usted ya sabe que el chocolate no es uno de los alimentos que más la complacen, es que su cuerpo no lo necesita y por tanto no hace falta que lea los párrafos siguientes. Bioquímicamente somos todas un poco distintas, pero tal vez esta no necesidad de chocolate se debe a que usted ya tiene el cerebro contento a base de haberlo satisfecho con féculas y con la práctica regular de ejercicio. En muchos casos, sin embargo, persisten los antojos de chocolate aunque comamos fécula y hagamos ejercicio con regularidad.

A lo largo de los años, he pedido a miles de hombres y mujeres que describan lo que sienten por el chocolate. La diferencia de género habla por sí misma.

Los hombres

- Podría comerlo o dejarlo.
- Está bien.
- No lo tengo en cuenta.
- Se come.
- Los hombres de verdad no comen chocolate.
- De vez en cuando me gusta.

Las mujeres

- ¡Puro éxtasis!
- Deliciosamente divino.
- ¡La gloria!
- Una necesidad de la vida.
- Más barato que el psicólogo.
- Una galleta de chocolate al día te aleja de la consulta de psiquiatría.

- Una cálida turbación.
- La mujer no vive sólo de pan; de chocolate, tal vez.
- No vale la pena vivir sin chocolate.
- Amor incondicional.
- Me hace sentir bien toda yo.
- Es orgásmico.
- Es lo segundo después del sexo.
- Es tan bueno como el sexo.
- Es mejor que el sexo.

¿Es el chocolate uno de los alimentos que la complacen? Una pregunta innecesaria para la mayoría de nosotras, así que vamos a afinar más: ¿qué tipo de alimentos a base de chocolate son los que a usted le dan más placer?

Si es una gourmand del chocolate, puede ser cualquiera de ellos o todos. Si es una gourmet del chocolate, podría ser sólo del chocolate de más alta calidad. A fin de ayudarla a identificar cuáles son los suyos, he aquí otra lista para valorar sus preferencias, con qué frecuencia siente antojo, con qué frecuencia los come, y cómo se siente después.

¿Con qué frecuencia siente deseo de comer alimentos a base de chocolate que no le gustan? (Si es que es posible que no le guste ninguno.)

¿Con qué frecuencia siente deseo de comer alimentos a base de chocolate que la dejan indiferente?

¿Con qué frecuencia siente deseo de comer alimentos a base de chocolate que le gustan y la hacen sentir bien? **Éstos son los alimentos que le proporcionan placer.** Vuelva a la lista y márquelos con un círculo.

¿Con qué frecuencia come los alimentos que le gustan, desea y la hacen sentir bien?

Alimento	¿Le gusta? (sí, no, indiferente)	¿Tiene antojo? (nunca, a veces, a menudo)	¿Lo come? (nunca, a veces, a menudo)	¿Cómo se siente después de comerlo?
chocolate sin leche	________	________	________	________
chocolate con leche	________	________	________	________
chocolate blanco	________	________	________	________
bombones	________	________	________	________
helado de chocolate	________	________	________	________
yogur de chocolate	________	________	________	________
mousse de chocolate	________	________	________	________
suflé de chocolate	________	________	________	________
bizcocho de chocolate	________	________	________	________
galletas de chocolate	________	________	________	________
lionesas de trufa	________	________	________	________
trufas	________	________	________	________
tarta de chocolate	________	________	________	________
palmeras de chocolate	________	________	________	________
flan de chocolate	________	________	________	________
fondue de chocolate	________	________	________	________
leche con cacao	________	________	________	________
chocolate a la taza	________	________	________	________

Hasta ahora, la fécula y el chocolate están destinados a ser los mejores amigos de la mujer. El azúcar y las grasas también pueden ser amigos fiables siempre que no abusemos de ellos. Hay otros dos alimentos amigos de los que aún tenemos que hablar.

Proteína: una camarada ocasional

Ya hemos comentado que los hombres prefieren los alimentos proteínicos, en especial la carne, los perritos calientes y los huevos; ocasionalmente también las mujeres prefieren la carne y sienten antojo de proteínas. Sin embargo, no necesitamos tantas como los hombres porque tenemos menos testosterona y menos masa muscular; pero a veces tendremos un intenso antojo de proteína...y sólo de proteína. Si tal es el caso, haga caso de su cuerpo y responda a sus necesidades.

Algunas mujeres dicen tener antojo de proteínas con más frecuencia que de carbohidratos, grasa o chocolate.

–¿Significa eso que en mi cuerpo tengo mucha testosterona? –pregunta Laura, una amante confesa de las proteínas.

Seguramente no. Aunque todas las mujeres tenemos algo de testosterona, el hecho de sentir antojo de proteínas no quiere decir que usted tenga más testosterona o que su cuerpo se comporte más como el de un hombre. Quiere decir que su cuerpo y su cerebro necesitan las proteínas para funcionar óptimamente. Podría ser que su cuerpo estuviera reparando algún daño o curando una herida. Podría ser que su cuerpo estuviera construyendo masa muscular porque usted está llevando a cabo un programa de ejercicio.

Otra posibilidad es que el cerebro necesite las proteínas para producir una cierta sustancia química. No es la serotonina ni las endorfinas, sino otra sustancia de la que todavía no hemos hablado: la dopamina. Aunque algunas de mis clientes piensan que esta sustancia les dará el mismo aspecto que el de los siete enanitos y que las hará sentir «dopadas», la dopamina hace justo lo contrario. Aumenta la energía cerebral, la agudeza y la concentración.

Cuando usted come alimentos ricos en proteína, los digiere hasta convertirlos en aminoácidos; éstos entran en el cerebro y se transforman en dopamina.

–¿Por qué no me habías hablado de esta sustancia química? –pregunta Martina–. Hubiera podido emplear toda mi agudeza y mi concentración.

Porque la dopamina solamente da un fuerte impulso a la energía cerebral si el marcador indica que está bajo, lo que no es frecuente en el caso de las mujeres. Si su cerebro ya tiene un aporte suficiente de dopamina, usted no notará ninguna diferencia después de comer pollo o ternera. Debido al estrógeno, la mayoría de las mujeres somos sensibles al efecto de los carbohidratos sobre la serotonina, pero no al efecto de las proteínas sobre la dopamina.

No obstante, pueden darse ocasiones en que los antojos de proteína superen a los antojos de carbohidratos. Tanto si esto se debe a una disminución de los niveles de dopamina o a la producción de masa muscular, el caso es que su cuerpo está intentando enviar un mensaje. ¡Préstele atención!

–¿Por qué a veces siento un irresistible antojo de comer carne roja? Nada de pescado, ni pechuga de pollo, ni legumbres, sólo un filete jugoso y casi crudo.

Es posible que tenga antojo de proteínas, pero es

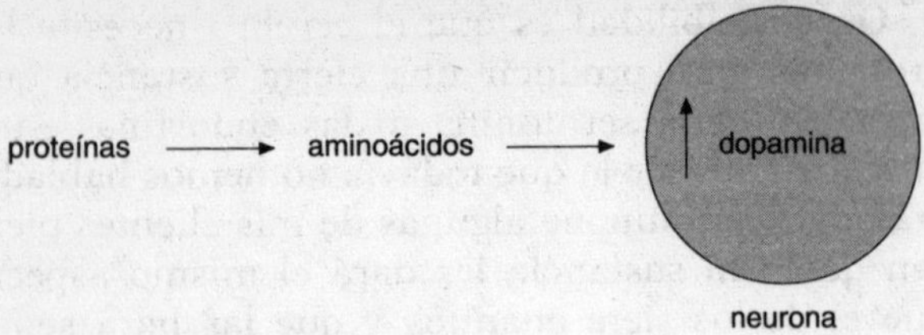

más probable que su cuerpo ansíe también el hierro. La carne roja tiene la forma de hierro más asequible para el cuerpo. Si siente antojo de carne roja y sólo de carne roja, y no de otro color... lo que su cuerpo quiere es el hierro. Así pues, ¡déle hierro!

¿Qué alimentos proteínicos son los que a usted le procuran placer?

Todas las mujeres necesitan diariamente algunas proteínas y experimentan ocasionales antojos de ella. Para ayudarla a identificar cuáles son los alimentos proteínicos que a usted le complacen, evalúe esta otra lista según sus preferencias, con qué frecuencia siente antojo de estos alimentos, con qué frecuencia los come, cómo se siente después.

¿Con qué frecuencia siente antojo de alimentos proteínicos que no le gustan?

¿Con qué frecuencia siente antojo de alimentos proteínicos que le son indiferentes?

¿Con qué frecuencia siente antojo de alimentos proteínicos que le gustan y le hacen sentir bien? **Éstos son los alimentos que le complacen.** Vuelva a repasar la lista y márquelos con un círculo.

¿Con qué frecuencia come los alimentos que le gustan, desea y le hacen encontrarse bien?

Hay una última categoría de antojo que aún tenemos que tratar; estoy segura de que usted ya la tenía in mente.

Alimento	¿Le gusta? (sí, no, indiferente)	¿Tiene antojo? (nunca, a veces, a menudo)	¿Lo come? (nunca, a veces, a menudo)	¿Cómo se siente después de comerlo?
ternera	______	______	______	______
pechuga de pollo	______	______	______	______
muslo de pollo	______	______	______	______
pavo	______	______	______	______
cerdo	______	______	______	______
cordero	______	______	______	______
venado	______	______	______	______
pato	______	______	______	______
salmón	______	______	______	______
trucha	______	______	______	______
lenguado	______	______	______	______
halibut	______	______	______	______
bacalao	______	______	______	______
gambas	______	______	______	______
caramelos	______	______	______	______
vieiras	______	______	______	______
almejas	______	______	______	______
ostras	______	______	______	______
cangrejo	______	______	______	______
tofu	______	______	______	______
legumbres	______	______	______	______
leche	______	______	______	______
queso fresco	______	______	______	______
yogur	______	______	______	______
queso	______	______	______	______

Sal: aliada de la premenstruación

–Comprendo que tenga antojos y preferencia por la fécula, el azúcar, las grasas, el chocolate e incluso a veces por las proteínas... pero ¿y la sal? Todavía no has tocado esta cuestión. El día anterior al comienzo del período, compro galletitas saladas sólo por chupar la sal. He llegado incluso a poner una pizca de sal en la palma de la mano y a lamerla. A veces, creo que tengo aún más antojo de sal que de chocolate.

Los antojos de sal son casi tan comunes en los días previos a la menstruación como los antojos de chocolate. Todavía no he hablado de la sal porque no se han encontrado indicios de que afectaran al estado de ánimo de las mujeres. La relación entre alimentación y estado de ánimo es un área de estudio tan nueva que quién sabe lo que se descubrirá con el tiempo. Pero como para todo lo demás, también hay una explicación biológica para esto, explicación que la ayudará a comprender, aceptar y aprovechar sus antojos de sal.

El fundamento de la explicación es el mismo que para todos los demás antojos: el estrógeno. En el caso de la sal, sin embargo, no se trata del efecto del estrógeno sobre las sustancias químicas del cerebro, sino de sus efectos sobre la retención de agua. Es un fenómeno real y suele afectar a las manos, los pies, los tobillos, la cara y el abdomen.

Cada vez que usted retiene agua a causa del estrógeno –en los días previos a la menstruación, por tomar anticonceptivos orales, por terapia de restitución de hormonas o durante el embarazo–, el cuerpo quiere asegurarse de que mantiene en sano equilibrio los minerales que están disueltos en los fluidos corporales. Estos minerales se llaman elec-

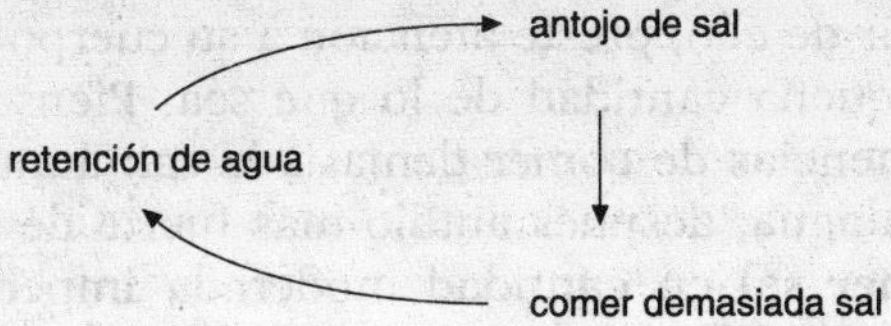

trolitos y son de distintos tipos, pero la sal, que contiene sodio y cloruro, es el más importante. Si usted aumenta un kilo de peso en agua, tendrá antojo de sal.

Una vez tuve una cliente que ganaba exactamente cinco kilos y medio cada mes. Al principio parecía imposible, pero en los tres meses siguientes comprobamos que efectivamente era así. Muchas de nosotras guardamos en el armario distintas tallas de ropa dependiendo del punto de la dieta yoyó en que nos encontramos. Ella tenía dos juegos de ropa dependiendo de si estaba en las dos primeras o las dos últimas semanas del ciclo menstrual.

Aumentar cinco kilos y medio de peso en agua es un caso extremo (el promedio es de uno a dos kilos), pero cuantos más fluidos retenga usted, más antojo de sal tendrá para equilibrar los electrolitos. Y, si come demasiada sal, retendrá aún más fluidos para equilibrar la excesiva concentración de electrolitos.

Si tiene anhelo de sal, dé a su cuerpo la pequeña cantidad que necesita, pero no demasiada. ¿Y cuánto es demasiado? Es complicado responder a esta pregunta, porque depende de la cantidad de agua que usted retenga, de si tiene o no la tensión alta, y de cuánta sal contienen los alimentos de los que siente antojo. No recomiendo hacer el recuento de los miligramos de sal que usted come; es una tarea tediosa y una pérdida de tiempo, sin contar con que en cada caso difiere la cantidad de sal que necesitamos.

En lugar de ello, preste atención a su cuerpo y coma una pequeña cantidad de lo que sea. Piense en las consecuencias de comer demasiada sal: aumento de peso en agua, después antojo más fuerte de sal, etc.

Comer sal en cantidad moderada impedirá aumentar más de peso, pero ¿qué hacer para perder esos pocos kilos que ganamos cada mes en los días previos a la menstruación o con la restitución de estrógeno?

He aquí algunas sugerencias:

1. ¡Ejercicio! El aumento de la temperatura corporal y el sudar permite eliminar el exceso de agua a través de la piel.
2. Beber mucha agua. El agua actúa como un diurético natural y estimula una expulsión más frecuente de la orina.
3. Consumir otros diuréticos naturales: pepino, pomelo, sandía, o bien exprimir medio limón en agua.

A veces puede ser difícil saber con exactitud de qué es el antojo: de sal, de azúcar, de grasas o de fécula. Pongamos por ejemplo las patatas fritas. Son ricas en sal, pero también en grasa y en féculas. Así pues, ¿cómo saber de cuál de ellas tiene antojo? Pruebe primero con algunas galletitas saladas que van recubiertas de granos de sal; si satisfacen su antojo, entonces era sal lo que su cuerpo quería. Si las galletitas no satisfacen su antojo, pruebe las patatas fritas sin sal. Si se queda satisfecha, entonces es que el cuerpo reclamaba grasa. Si ninguna de las dos ha satisfecho el antojo, es que quiere la combinación de grasa y de sal.

¿Qué alimentos ricos en sal son los que la complacen más?

He aquí una última lista para identificarlos. Ya sabe qué hacer.

Alimento	¿Le gusta? (sí, no, indiferente)	¿Tiene antojo? (nunca, a veces, a menudo)	¿Lo come? (nunca, a veces, a menudo)	¿Cómo se siente después de comerlo?
sal				
aperitivos salados				
crackers con sal				
sopa en lata				
tomate enlatado				
encurtidos				
aceitunas				
queso				
fiambres				
bacon				
embutidos				
pizza				
comida china				

¿Con qué frecuencia siente antojo de alimentos ricos en sal que no le gustan?

¿Con qué frecuencia siente antojo de alimentos ricos en sal que le son indiferentes?

¿Con qué frecuencia siente antojo de alimentos ricos en sal que le gustan y le hacen sentir bien? **Éstos son los alimentos que a usted le complacen.** Vuelva a la lista y márquelos con un círculo.

¿Con qué frecuencia come esos alimentos que le gustan, desea y le hacen sentir bien?

Hemos hablado de seis categorías distintas de posibles antojos femeninos: fécula, azúcar, grasa, chocolate, proteína y sal. Las mujeres también tenemos antojo de otros alimentos que nos resultan placenteros: las verduras por sus nutrientes, los productos lácteos por el calcio, y el agua por la hidratación, pero me reservo hablar de sus efectos benéficos para el último capítulo, donde trataré de todas las necesidades nutritivas características de las mujeres.

Basándose en las respuestas que ha dado en todos los cuestionarios:

- ¿En qué categoría de alimentos se encuentra el grueso de los alimentos que más la complacen?
- ¿Todas las categorías son de la misma importancia?
- ¿Hay alguna categoría que destaque por encima de las demás?

Después de contestar a estas preguntas, vuelva a las listas de este capítulo y elija los diez alimentos principales que más placer le procuran. Éstos serán de especial utilidad cuando sepa que tiene necesidad biológica de algo, pero no puede identificar con precisión qué es. Repase entonces la lista de los 10 principales y vea si hay algo que le salta a la vista.

Los 10 principales

1. __________________
2. __________________
3. __________________
4. __________________
5. __________________
6. __________________
7. __________________
8. __________________
9. __________________
10. __________________

Muchas de mis clientas me piden que revele cuáles son mis 10 principales y a lo mejor usted se pregunta lo mismo. No necesariamente por este orden, son: las patatas fritas, la pizza de queso, el pastel de chocolate, las galletas con trocitos de chocolate, la pasta, los panecillos, las espinacas, las acelgas, las patatas y la sopa.

¡ALTO! ¿SIENTE EN ESTE MOMENTO UN ANTOJO BIOLÓGICO?

Si es así y tiene hambre, satisfaga ese antojo. Es uno de los alimentos que le dan placer.

Ahora que ya tiene los conocimientos y la habilidad necesarios para descubrir los alimentos que le proporcionan placer, pongamos esta segunda fase en marcha.

SEMANA 2: Plan de AcciÓN

FASE 2: Descubra los alimentos que le proporcionan placer.

OBJETIVOS:

1. Identificar todos los alimentos que le procuran placer.
2. Comer los alimentos que le gustan y de los que siente antojo con mayor frecuencia.
3. Continuar fiándose de los antojos y respondiendo a ellos.

TÉCNICAS:

1. Utilizar la lista de féculas para descubrir aquellos alimentos que le gustan, desea y le hacen sentir bien.
2. Utilizar la lista del azúcar para descubrir aquellos alimentos que le gustan, desea y le hacen sentir bien.
3. Utilizar la lista de grasas para descubrir aquellos alimentos que le gustan, desea y le hacen sentir bien.
4. Utilizar la lista de chocolate para descubrir aquellos alimentos que le gustan, desea y le hacen sentir bien.
5. Utilizar la lista de proteínas para descubrir aquellos alimentos que le gustan, desea y le hacen sentir bien.
6. Utilizar la lista de sal para descubrir aquellos alimentos que le gustan, desea y le hacen sentir bien.
7. Elaborar y utilizar la lista de los 10 alimentos principales.
8. Comer azúcar con féculas para impedir que se produzca la respuesta «montaña rusa».
9. Utilizar la Escala de Hambre/Saciedad.

10. Utilizar la Escala de Estados de Ánimo.
11. Llevar un registro de comidas durante las dos próximas semanas para practicar estas técnicas.

Durante esta segunda semana del Plan **ON,** el objetivo es descubrir todos los alimentos que le procuran placer y empezar a experimentar sus efectos benéficos. Igual que en la primera semana, la animo a llevar un registro de comidas para que profundice conocimientos y haga el seguimiento de sus progresos.

En las páginas siguientes hay un registro de comidas para que le sirva de modelo y otro en blanco para que lo utilice la semana que viene. Continuará usted cotejando con su cuerpo cada hora para ver si siente antojo de algo, cuánta hambre tiene y de qué humor está. Además, deberá proponerse *comer* esos alimentos y darse cuenta de la mejoría en su estado de ánimo como resultado de haber respondido a las necesidades de su cuerpo.

REGISTRO DE COMIDAS PARA DESCUBRIR LOS ALIMENTOS QUE LE PROPORCIONAN PLACER

Hora	Antojo	Nivel de hambre	Estado de ánimo	¿Lo ha comido?	Estado de ánimo después de comer

REGISTRO DE COMIDAS PARA DESCUBRIR LOS ALIMENTOS QUE LE PROPORCIONAN PLACER

Hora	Antojo	Nivel de hambre	Estado de ánimo	¿Lo ha comido?	Estado de ánimo después de comer

6

FASE 3: APRENDA A COMER BUSCANDO LA MÁXIMA SATISFACCIÓN

Naturalmente, todos conocemos la mecánica del comer: abrir el paquete, preparar el alimento, llevarse el tenedor a la boca e introducir en ella la comida. Pero no me estoy refiriendo a la mecánica del comer, sino al proceso, es decir, a lo que pasa en los ojos, la boca, la nariz, el estómago y el cerebro, y a cómo la respuesta de cada uno de ellos aporta sensación de satisfacción a la experiencia de comer.

En la fase 2, usted identificó aquellos alimentos que con más probabilidad daban a su cuerpo y a su cerebro un óptimo placer. La siguiente fase del Plan **ON** es aprender a comer esos alimentos de manera que estimulen más eficazmente la satisfacción, la energía y el estado de ánimo positivo.

Quizá haya pensado que al comer esos alimentos usted se quedaría satisfecha. Puede ser que sí y puede ser que no. Todo depende de *cómo* coma los alimentos que le dan placer y de las seis etapas de la satisfacción de comer.

Las seis etapas de la satisfacción

1. satisfacción visual
2. satisfacción de las papilas gustativas

3. satisfacción olfativa
4. satisfacción del estómago
5. satisfacción del torrente sanguíneo
6. satisfacción del cerebro

El sentirse satisfecho con la comida es una verdadera ciencia, una ciencia que empieza con el placer visual antes incluso de dar el primer bocado. Si la comida es agradable a la vista, será agradable para el cerebro. A veces, arreglar la mesa con flores y candelabros puede acrecentar la satisfacción. ¿Resulta apetitosa la presentación de la comida? ¿Hay variedad de colores, texturas y formas? ¿O el plato parece una película de los años veinte en blanco y negro, desprovista de colores estimulantes?

Cuanto más satisfecha esté con la calidad visual de los alimentos y con cualquiera de las demás etapas de la satisfacción, menos necesitará comer y mejor se sentirá. El cerebro es el centro receptor de las seis etapas, y el objetivo es obtener la máxima satisfacción en cada una de ellas. He aquí algunos trucos que garantizan una satisfacción de alto nivel.

Los secretos de la satisfacción de las papilas

Lo que acontece en la boca mientras usted come es tan importante como lo que acontece en el cerebro después de comer. Las papilas gustativas están en comunicación directa con el cerebro para determinar la palatabilidad de los alimentos y dar al cerebro un anticipo de lo que se avecina. El cerebro *siempre* quiere saber qué pasa.

Estoy segura de que la mayoría de ustedes sabe que hay cuatro grupos distintos de papilas gustativas en la lengua: dulce, ácido, salado y amargo. Pero, ¿sabía usted que en las papilas hay miles de detectores del sabor que reciben el nombre de quimiorreceptores? Al comer, estos quimiorreceptores se estimulan y envían señales de placer al cerebro.

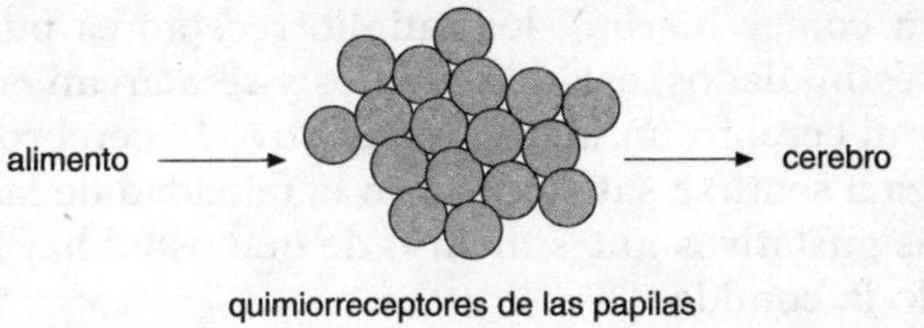

Cuánto mayor es el número de quimiorreceptores estimulados, mayor es la satisfacción con la comida. El objetivo es estimular tantos quimiorreceptores como sea posible. ¿De qué manera? **Masticando, saboreando y reteniendo la comida en la boca.**

Si usted come a toda prisa y apenas mastica, la estimulación de los quimiorreceptores es mínima y por tanto también lo es la satisfacción. Disculpen la comparación, pero si usted come igual que una serpiente y prácticamente traga la comida entera y sin masticar, los quimiorreceptores no tienen ni el tiempo ni los medios necesarios para ser estimulados. El bocado era demasiado grande y pasó veloz. Recuerdan vagamente que algo pasaba por allí, pero no están en condiciones de distinguir qué era. El cerebro no tiene ni idea de lo que sucede y usted no se siente satisfecha.

–Tengo que decir que como igual que las serpientes, pero ¿no es cierto que ellas sólo comen una vez a la semana? Puede que mis hábitos de masticación sean iguales que los suyos, pero desde luego yo no acostumbro comer una vez a la semana –concluye Nadine. Luego pregunta–: Y puesto que estamos estableciendo comparaciones con los animales, ¿en qué animal debo inspirarme para imitarlo en la masticación?

¿Qué tal... la vaca? Desechando la imagen física, si usted come igual que ella (me refiero a masticar, no a comer hierba), los quimiorreceptores pueden ser estimulados, están contentos y se atarean en enviar al cerebro un mensaje tras otro. El cerebro empieza a sentirse satisfecho con la felicidad de las papilas gustativas antes incluso de que usted haya tragado la comida.

Masticar tiene otra ventaja. Favorece la liberación de aromas, le permite a usted captar plenamente el olor de la comida y estimula los nervios olfatorios del cerebro. Al sentido del olor se debe casi el 50 % de la satisfacción inicial; en consecuencia, la nariz y las papilas van parejas a la hora de aportar satisfacción. Esta colaboración explica la insipidez de los alimentos cuando usted está resfriada. Si apenas mastica, las papilas y la nariz no se enteran y el cerebro piensa en echar un sueñecito.

–¿Me estás diciendo que mastique cada bocado veinticinco veces para que mi satisfacción sea máxima? Ya lo he intentado; pierdo la cuenta y no da resultado.

No se inquiete; al contrario que algunos libros o programas, no tengo intención de recomendar que cuente el número de veces que mastica o que mastique un cierto número de veces cada bocado. Sin embargo, le recomiendo que comprenda muy bien la importancia de la satisfacción de las papilas y que se concentre en *los tres primeros bocados*.

¿Por qué los tres primeros? Porque las investigaciones demuestran que son los más importantes para satisfacer a las papilas gustativas, a los quimiorreceptores, la nariz y el cerebro. El primer bocado emite el estímulo más fuerte, el segundo es un poco menos fuerte y el tercero aún menos. Para cuando usted toma el cuarto o el quinto bocado, las papilas empiezan a aburrirse y ya no les importa lo que pase. Han concluido su trabajo.

Cuando hablo de la satisfacción de las papilas pienso en mi hermana Lori. Que yo recuerde, ha tenido siempre la costumbre de cortar y saborear la comida en porciones minúsculas. Cuando ella llevaba tres bocados masticados y deglutidos, los demás miembros de la familia ya habían acabado de comer. Para ella la satisfacción de comer es más importante que para otras personas que conozco, incluida yo misma. Siempre ha comido lo que ha querido, ha accedido a sus antojos y mantenido un peso sano. Ahora tiene tres hijos (dos de ellos aún llevan pañales) y no puede permitirse el lujo de disponer de media hora para disfrutar de la comida. Para adaptarse a su nuevo estilo de vida, ha hecho caso del consejo de su hermana y ha puesto en práctica lo de los tres primeros bocados.

Las papilas gustativas no sólo están diseñadas para darnos placer y satisfacción, sino también para protegernos. Las papilas gustativas detectoras de lo dulce están situadas en la punta de la lengua, dando así ventaja a la detección de lo dulce por encima de los demás sabores. Esto responde a un propósito. El azúcar tiene una alta concentración de calorías, y en tiempos de hambre y escasez de alimentos nuestra preferencia por lo dulce nos aseguraba la supervivencia. Nos gusta el sabor dulce porque fuimos evolucionando así. Los muy niños y los muy ancianos tienen con el dulce una afinidad todavía más grande, porque para ellos sería más difícil ir en busca de alimentos en tiempos de escasez, y su deseo de alimentos dulces les facilitaría en ese caso un alto aporte calórico.

Las demás papilas también cumplen un propósito protector:

- Detectoras de salado: Sin sal, moriríamos. Las papilas sensibles a la sal estimulaban nuestra preferencia por los alimentos salados para poder sobrevivir. Antes de que existieran los saleros o los alimentos procesados, dependíamos de las papilas gustativas para detectar incluso las cantidades de sal más pequeñas en las raíces, las bayas y en otras plantas.
- Detectoras de amargo: Cuando íbamos en busca de alimentos, probábamos casi cualquier planta viva. Para que no comiéramos plantas venenosas, estas papilas nos alertaban de la presencia de sustancias químicas tóxicas.
- Detectoras de ácido: Nuestro cuerpo necesita un cierto equilibrio ácido/base, y las papilas detectoras de ácido nos impedían ingerir demasiados alimentos ácidos.

Tal vez se esté preguntando si en cuestión de papilas gustativas y quimiorreceptores hay diferencias entre los dos géneros. Tal como sospecha, las papilas detectoras de dulce de las mujeres se comunican mejor con el cerebro. En caso de hambre y necesidad de supervivencia, estas papilas evolucionaron de manera que los alimentos más ricos en azúcar y contenido calórico nos supieran mejor. Nuestras papilas detectoras de amargo también están más evolucionadas y distinguen mejor las sustancias tóxicas para impedir el envenenamiento. Esta capacidad discriminatoria explica la común aversión por el café, el alcohol y el picante en los tres primeros meses del embarazo.

Resumiendo los trucos para la satisfacción de las papilas:

1. Satisfaga sus antojos con alimentos que la complazcan.
2. Mastique, mastique, mastique.
3. Tómese tiempo para oler los alimentos.
4. Coma lentamente, saboree cada bocado y retenga la comida en la boca.
5. Concéntrese en los tres primeros bocados.

–¿Estás diciendo que solamente tengo que masticar, oler y saborear los tres primeros bocados de cocholate, helado o de cualquier otra cosa para conseguir el máximo de satisfacción?

Técnicamente sí, al menos en lo que respecta a la primera etapa de la satisfacción. Pero aún quedan otras etapas de las que hablar.

Los secretos de la satisfacción del estómago

De las papilas, pasamos al estómago. Ha tomado usted un pequeño bocado de comida, lo ha masticado a fondo, ha estimulado los quimiorreceptores y los nervios olfatorios del cerebro, y así ya ha conseguido un cierto nivel de satisfacción.

Ahora la comida desciende por el esófago y está a punto de pasar al estómago. Como las papilas gustativas han informado al cerebro de que algo placentero va en camino, éste ya ha alertado al estómago de la inminente llegada de comida; ha secretado algunas enzimas digestivas y allí están a la espera de los alimentos. Para cuando los tres primeros bocados han entrado en el estómago, ya se empieza a sentir contento.

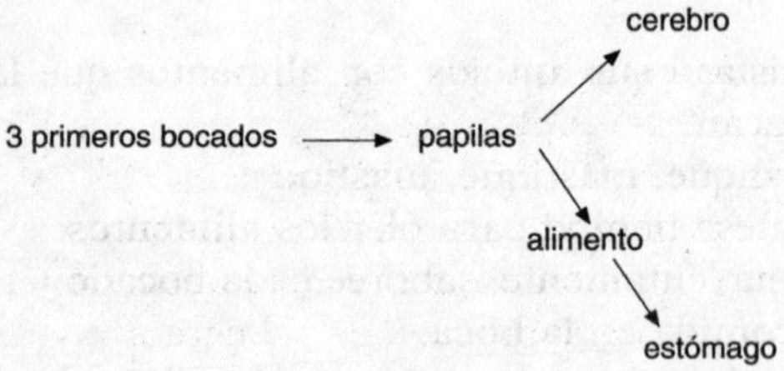

–¿Cómo es que bastan unos pocos bocados para excitar el estómago? Normalmente lo lleno con un montón de comida. ¿Por qué no paro automáticamente a los tres bocados?

Pues bien, puede ser que usted no haya conocido y, por tanto, no haya experimentado la primera etapa de la satisfacción. Su estómago no estaba informado y tampoco preparado. O quizá es que lleva comiendo en exceso tanto tiempo que no es consciente de lo que pasa en el estómago ni de lo pequeño que es.

Cierre la mano en forma de puño. Ése es el tamaño aproximado del estómago. Ahora ya entiende por qué sólo se necesitan unos pocos bocados para que el estómago empiece a sentirse satisfecho.

–Si el estómago es del tamaño del puño, ¿cómo es posible que allí quepa una pizza mediana entera? ¿O la comida de Navidad? ¿O la cena del sábado pasado en mi restaurante favorito?

Katie está maravillada con la comparación. Es probable que para impedir que el estómago estalle –lo que acarrearía la muerte inmediata– su capacidad de ensanchamiento hace posible devorar de una sola vez cantidades de comida increíblemente enormes. Una anécdota morbosa: está documentada la muerte de una bulímica que en una sola comida consumió 50.000 calorías.

El estómago puede expandirse hasta cinco veces su tamaño, pero no necesariamente es lo que desea. Igual que los quimiorreceptores de las papilas, también hay receptores en las paredes del estómago. Desde el primer bocado hasta el momento en que el estómago del tamaño del puño está lleno, estos receptores van enviando señales al cerebro, y se libera una sustancia química en el estómago y el intestino que se llama colecistoquinina (abreviado CCQ)

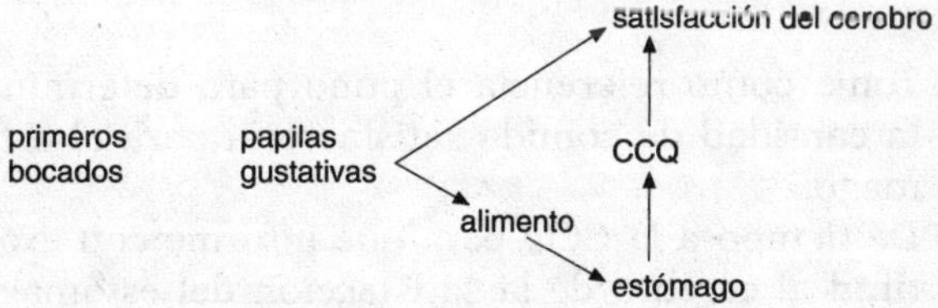

La CCQ es una sustancia química de saciedad que indica al cerebro que usted ya ha comido y que la pizza no ha sido un sueño. Es un mecanismo de información sobre el resultado de este proceso que a usted la hace sentir satisfecha y a la vez le recuerda que deje de comer.

–¿Cabe la posibilidad de que yo naciera sin esta CCQ? No creo tener ese mecanismo de información que hace parar de comer. ¿Dónde puedo ir a que me pongan una inyección?

Sally no es la primera que me hace estas mismas preguntas. Aunque en contados casos de bulimia se ha encontrado deficiencia de CCQ, todos tenemos esta sustancia; lo único que sucede es que la ignoramos. O que comemos tan rápido que rebasamos el punto de la satisfacción sin darnos cuenta hasta más adelante.

Esta necesidad de responder a nuestro mecanismo de información es la razón de que algunos expertos en control del peso hayan recomendado dedicar veinte minutos a cada comida. Aunque no existen datos científicos rigurosos que vengan en apoyo de esta recomendación, lo cierto es que cuanto más despacio coma usted, más probable es que perciba la saciedad informada por la CCQ y deje de comer cuando se sienta confortablemente satisfecha.

Coma tan despacio como pueda y:

1. Tome como referencia el puño para determinar la cantidad de comida satisfactoria para el estómago.
2. Dé tiempo a la CCQ para que informe con exactitud al cerebro de la satisfacción del estómago.
3. Una vez más, concéntrese en los tres primeros bocados.

La etapa final de la satisfacción recibe el nombre de efecto postabsorción de la comida, es decir, qué pasa cuando la comida ha sido absorbida por el torrente sanguíneo y atraviesa la barrera sanguínea del cerebro. Éstos son los efectos de los alimentos en los niveles de glucosa en sangre y en las sustancias químicas del cerebro. Ya hemos hablado de estos efectos postabsorción con bastante profundidad, pero repasemos un poco para que usted tenga ante sí el cuadro completo.

Usted tiene hambre y siente antojo de un determinado alimento que la complace sobremanera, se concentra en los tres primeros bocados y las papilas gustativas y la nariz envían señales de satisfacción al cerebro. Entonces usted deglute la comida y el estómago envía también sus señales de satisfacción. Luego los alimentos son absorbidos por el torrente sanguíneo, atraviesan la barrera sanguínea del cerebro, y éste se queda satisfecho con el aporte de energía y las sustancias químicas que le son propias. A lo largo de todo este proceso, el cerebro está estrechamente implicado en cada etapa de la satisfacción alimentaria.

Con estos nuevos conocimientos sobre los trucos de la satisfacción, usted está en condiciones de experimentar el placer en cada momento del proceso. Cuando lo haga, comprobará que come *menos* y disfruta *más* de la comida. Los alimentos de los que us-

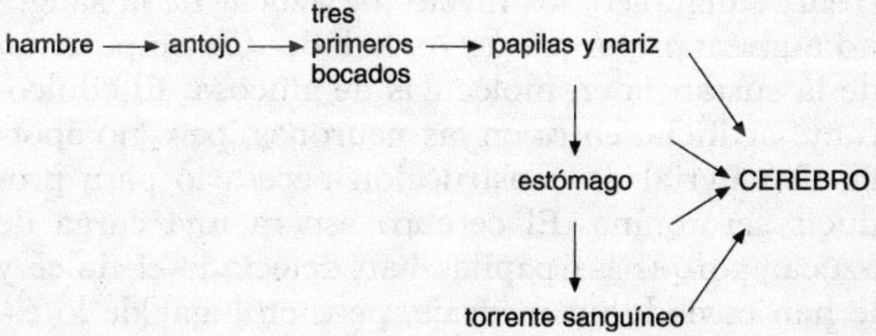

ted tiene antojo son los que a usted le serán más satisfactorios. Sin embargo, si busca sustitutos para los antojos, aunque intente a toda costa utilizar los trucos de la satisfacción, no alcanzará su objetivo.

Los sucedáneos no satisfacen

En un intento por satisfacer los antojos sin consumir calorías, las mujeres adquieren más edulcorantes artificiales y más falsas grasas cada año. Los alimentos sucedáneos no satisfacen los antojos de la mayoría de las personas porque no obran el mismo efecto que los alimentos de verdad ni en el torrente sanguíneo ni el cerebro.

Si usted siente deseo de algo dulce, pero teme las calorías y el aumento de peso, seguramente intentará buscar una alternativa de las llamadas dietéticas. Los edulcorantes artificiales saben igual que el azúcar y las papilas gustativas, estimuladas, envían su mensaje al cerebro. Cuando el sucedáneo dietético entra en el estómago, los receptores reconocen que ha entrado algo y liberan CCQ hacia el cerebro. Así pues, usted pasa por las etapas iniciales de la satisfacción. Pero la satisfacción acaba aquí. **Se puede engañar a las papilas, pero no al cerebro.**

El cerebro no obtiene del sucedáneo lo que necesita para funcionar. Una vez absorbido por el torrente sanguíneo, los niveles de azúcar de la sangre no aumentan porque no ha habido descomposición de la sustancia en moléculas de glucosa. El edulcorante artificial entra en las neuronas, pero no aporta el material de construcción necesario para producir serotonina. El cerebro espera una carga de azúcar porque las papilas han detectado el dulce y le han enviado un mensaje, pero en lugar de lo esperado aparece un sucedáneo; no es que el cerebro se quede sólo insatisfecho, es que está descontento. Por lo tanto, puede empezar a urgirla a usted para que coma un azúcar verdadero y natural.

Esto explica la paradoja del consumo de azúcar en los cincuenta últimos años: a medida que hemos ido incrementando el consumo de edulcorantes artificiales, también ha ido en aumento nuestra ingesta de azúcar. En la mayoría de los casos, los edulcorantes artificiales no han sido eficaces sustitutos del azúcar en la dieta; no nos han ayudado a perder peso o a reducir nuestra ingesta de azúcar, y a ellos podría atribuirse el aumento de esta última. Los edulcorantes artificiales tienen efectos similares a los de la privación y la abstinencia. Usted no se siente satisfecha, el antojo se intensifica, usted acaba comiendo azúcar igualmente, y vuelta a empezar.

Los sucedáneos de la grasa privan aún más de la satisfacción alimentaria que los sucedáneos del azúcar. Muchas personas han declarado que los sucedáneos de grasa no son sabrosos, y en consecuencia no producen satisfacción alguna a las papilas gustativas. Luego, cuando son absorbidos, tampoco satisfacen al cerebro. Así pues, los sucedáneos de la grasa privan de diversas etapas de la satisfacción.

Los sucedáneos de los alimentos no son satisfactorios, pero tampoco lo son aquellos alimentos naturales con los que se pretende engañar el antojo. Si usted intenta satisfacer con queso fresco sin grasa un antojo de helado o de frutas escarchadas, ¿conseguirá la misma satisfacción? Acabará por «comer circunvalando el antojo» sin extraer satisfacción alguna y después consumirá igualmente el helado o las frutas. **Satisfaga el *verdadero* antojo comiendo despacio una pequeña cantidad.**

¿Y qué hay de los sucedáneos del chocolate? Por

mucho que rebusque en la despensa o en la nevera, saldrá con las manos vacías. No hay nada que sustituya al chocolate. A veces se recomienda la algarroba como sustituto del chocolate porque tiene el mismo color y la misma consistencia, pero es el fruto de un árbol mediterráneo perenne, no de la planta del cacao. No tiene feniletilamina ni teobromina, con lo que la satisfacción se esfuma.

Por las mismas razones, tampoco da resultado comer chocolate blanco: no contiene feniletilamina ni teobromina. Es un confite hecho con azúcar y grasa, y en consecuencia satisfará un antojo de azúcar y/o grasa, pero no un antojo de chocolate.

Obedeciendo a la demanda de los consumidores, muchas empresas de alimentación, panaderías y libros de cocina ofrecen productos de chocolate bajos en grasas. Que haya menos grasa no significa que la satisfacción sea menor, siempre y cuando complazcan al paladar y al cerebro.

No busque sucedáneos, coma exactamente lo que desea y concéntrese en los trucos de la satisfacción. Para conseguir el máximo grado de satisfacción, hay otros dos conceptos que conviene saber y que realzan los efectos beneficiosos de la postabsorción de alimentos, así como satisfacen totalmente al cerebro.

Competición entre alimentos y estado de ánimo

Hay una competición establecida entre alimentos y estado de ánimo de la que usted tiene que estar informada. Lo que come acompañando a esos alimentos placenteros que influyen positivamente en su estado de ánimo puede interferir con el esperado beneficio. Usted ya sabe que:

azúcar y fécula → serotonina → efecto calmante

chocolate y grasa → endorfinas → euforia

y a veces...

proteína → dopamina → agudeza mental

Pero si usted siente antojo de carbohidratos *y* los come acompañados de proteínas, se quedará eternamente esperando que se produzca el efecto calmante. Es casi como un partido de fútbol –el equipo de los carbohidratos contra el equipo de las proteínas–; gana el equipo de las proteínas. Las proteínas bloquean la liberación de serotonina en el cerebro.

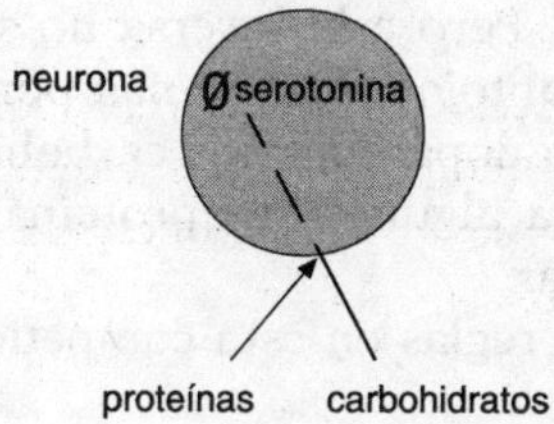

Cuando usted siente deseo de carbohidratos, necesita la emisión de serotonina, pero si come carne, pescado, pollo o productos lácteos junto con los carbohidratos liberadores de serotonina, no se sentirá ni calmada, ni contenta ni estable. Ésta es la razón de que la composición tradicional de los alimentos que deben integrar una comida equilibrada no equilibren ni la mente ni el estado de ánimo de las mujeres.

Hagamos la digestión de una comida típica compuesta de filete, patatas, verduras, pan y ensalada. El filete es demasiado competitivo para la resistencia de las patatas y el pan (¡pero no para las verduras y la ensalada!).

Cada vez que nos comemos un bocadillo, la serotonina vuelve a salir derrotada. Generalmente el bocadillo se compone de dos rebanadas de pan, cien gramos de algún tipo de fiambre y a veces algún acompañamiento de lechuga, tomate, mostaza, aceite o mayonesa. Quizá crea que el pan la calmará y renovará sus energías, pero la pechuga o el jamón york le negarán estos efectos. Pasa lo mismo con la mantequilla que unta en la tostada, el queso que acompaña con una galleta salada y la leche que se bebe con galletas.

Si siente antojo de carbohidratos por los efectos calmantes de la serotonina, procure no comer proteínas a la vez. Pero a la inversa no sucede lo mismo. Si siente antojo de proteínas porque sus músculos necesitan dopamina, los carbohidratos no suponen amenaza alguna. Las proteínas siempre llevan las de ganar.

Existen dos reglas en esta competición:

Regla n.° 1: Cuando sienta antojo de carbohidratos, cuidado con las proteínas.

Regla n.° 2: Cuando sienta antojo de carbohidratos o proteínas, cuidado con el exceso de grasa.

También el exceso de grasa puede anular el efecto de los carbohidratos en cuanto a la emisión de serotonina en el cerebro, pero de una manera distinta a las proteínas. La grasa interfiere provocando una cierta competición en el estómago en lugar de en el cerebro. Cuesta mucho tiempo digerir la grasa y esto retarda la absorción de glucosa. La glucosa intenta penetrar en el torrente sanguíneo pero la grasa no digerida la tiene cautiva.

grasa	5 horas de digestión
fécula	2 horas de digestión
azúcar	$^1/_4$ de hora de digestión

Si unta sólo una pequeña cantidad de mantequilla en la tostada, la digestión de los carbohidratos será normal y el cerebro estará contento. Pero si embadurna la tostada o el panecillo con una capa gruesa de mantequilla o crema de queso, la digestión será demasiado prolongada y el cerebro se impacientará mientras espera la glucosa y la serotonina.

Con esto no estoy necesariamente recomendando que unte las tostadas con mantequilla, pero quede claro que si la cantidad de mantequilla es pequeña, no se entabla competición alguna. Mejor aún, ¿por qué no sustituir la mantequilla por una buena mermelada? La mermelada complementaría la liberación de serotonina (no competiría).

Sea selectiva a la hora de escoger *qué* come junto con sus anhelados carbohidratos para que usted sea la única vencedora en esta competición... y para que sea consciente de *cuánto* come.

Comer en exceso sobrecarga el cerebro

Tanto si se trata de una combinación de alimentos como de un solo alimento, creo que ha llegado la hora de hablar de cantidades más pormenorizadamente. Algunas clientes rezan para les diga: «Tú necesitas medio kilo de chocolate, una barra de pan y un cuarto de litro de helado». Lo siento, si el antojo es genuinamente biológico, basta con una pequeña cantidad para complacer a la boca, el estómago y el cerebro.

1	trozo de pan
1	pieza mediana de fruta
$^{1}/_{2}$	vaso de agua de zumo de fruta
$^{1}/_{2}$	pastilla de chocolate
$^{1}/_{4}$	de vaso de agua de helado
5	caramelos de goma

–Cinco caramelos de goma... estás de broma. Cincuenta quizás, cinco nunca. Si yo me comiera cincuenta, ¿no multiplicaría por diez el beneficio que obtengo de ellos? Y si me comiera cinco pastillas de chocolate, ¿no obtendría diez veces más ventajas que comiendo media pastilla?

La cosa no funciona así. Una pequeña cantidad basta para sacar el máximo provecho de la comida, y comer más no aporta en cambio más ventajas. Al contrario, comer más es contraproducente y tiene por resultado lo que se llama «efecto de sobrecarga».

1/4 de pastilla de chocolate → felicidad cerebral

5 pastillas de chocolate → sobrecarga cerebral

El cerebro solicitaba ayuda y usted le ha enviado a todas las fuerzas armadas. Ahora él se ve bombardeado, por no mencionar que usted tiene dolor de estómago y que las células de grasa se han activado.

–Ya comprendo que comer demasiado chocolate o demasiado de cualquier cosa activa las células de grasa, pero ¿y todas esas calorías quemadas llevan-

5 pastillas de chocolate → neuronas «¡Cielos! ¡No necesito todo esto!»

↓

4 1/2 pastillas de chocolate

↓

células de grasa «Muchas gracias»

do a cuestas esas cinco pastillas, escondiéndolas por toda la casa, luego intentando averiguar dónde las has escondido y por último desenvolviendo cada pastilla?

Valerie y yo hicimos el cálculo: 750 calorías del chocolate contra 50 calorías de trabajarse el chocolate.

Otra razón por la que comer en exceso conmociona al cerebro es que éste depende de un suministro regular de sangre. Cuando usted come de más, el suministro de sangre se dirige al estómago todo lo que dura el largo proceso digestivo, dejando al cerebro privado de oxígeno, de nutrientes y de glucosa. A falta de cualquier otra alternativa, las ondas cerebrales se hacen más lentas y usted puede entrar en la primera fase del sueño.

Muchas clientes quieren que elabore una lista de cientos de alimentos cuantificando exactamente la cantidad que necesitan comer para satisfacer un antojo biológico. Maryann quiere saber con precisión cuántas grageas de chocolate, cuántos caramelos y cuántas barras de regaliz debe comer. Sólo comerá esa cantidad; ni uno más, ni uno menos. Por favor, no tome las cantidades que doy al pie de la letra. Cuando digo cuatro caramelos de goma, no quiero decir que sean obligatoriamente cuatro y que no puedan ser 3 o 5. Lo que continuamente intento hacer ver es que la autocomplacencia se consigue con una cantidad muy pequeña y que comer en exceso sobrecarga el cerebro.

¡ALTO! ¿SIENTE EN ESTE MOMENTO UN ANTOJO BIOLÓGICO?

Si es así, satisfágalo con una pequeña cantidad, tenga en cuenta la competición que se entabla entre alimentos y saboree los tres primeros bocados.

Ahora que ya tiene los conocimientos y las destrezas necesarias para comer buscando la máxima satisfacción, pongamos esta fase en práctica.

SEMANA 3: Plan de AcciÓN

FASE 3: Aprender a comer buscando la máxima satisfacción.

OBJETIVOS:

1. Dominar los trucos para satisfacer las papilas gustativas.
2. Experimentar satisfacción en el estómago.
3. Tener en cuenta la competición que se entabla entre ciertos alimentos.
4. Practicar la autocomplacencia, no el exceso.

TÉCNICAS:

1. Preparar la comida para que sea agradable a la vista.
2. Masticar a conciencia.
3. Comer como una vaca, no como una serpiente.
4. Concentrarse en los tres primeros bocados.
5. Comer despacio y retener la comida en la boca.
6. Tomarse tiempo para apreciar el olor de la comida.

7. Utilizar la comparación del puño.
8. No buscar sucedáneos.
9. Tener cuidado con la competitividad de las proteínas.
10. Tener cuidado con la competitividad de las grasas.
11. Utilizar la Escala Hambre/Saciedad para no comer en exceso.
12. Utilizar la Lista de Estados de Ánimo.
13. Utilizar la Escala de Satisfacción.
14. Llevar un registro de las comidas de la próxima semana para practicar estas técnicas.

Esta usted en el inicio de la tercera semana del Plan **ON**. Esta semana sigo insistiendo en que determine su nivel de hambre y su estado de ánimo y que descubra qué alimentos la complacen más, pero también quiero que se aplique en conseguir el máximo grado de satisfacción de las papilas, la nariz, el estómago y el cerebro. Tenga presente que la satisfacción también está influida por la competitividad entre algunos alimentos –que afecta al estado de ánimo , y por la cantidad de comida que ingiere. Para ayudarla a centrar un poco más la cuestión de la satisfacción, utilice la siguiente escala de valores.

5 – satisfacción máxima
4 – satisfacción moderada
3 – neutral
2 – insatisfacción moderada
1 – insatisfacción total

Recuerde: cuanto más la satisfaga la experiencia de comer, menos necesitará comer.

En las dos páginas siguientes encontrará un registro de comidas para que lo utilice como borrador, y otro para que lo utilice la semana que viene. Seguiremos poniendo en juego todas las destrezas, de manera que además de evaluar el grado de hambre y el estado de ánimo (antes y después de comer), usted también valorará el grado de saciedad, el grado de satisfacción, y si ha habido competitividad entre alimentos. Utilice la escala de satisfacción y la Escala de Hambre/Saciedad del capítulo 4 para determinar el grado de saciedad e impedir la sobrecarga del cerebro y la activación de las células de grasa. Si alguna vez sobrepasa el grado 5 (perfectamente a gusto), ¡es que está comiendo de más!

REGISTRO DE COMIDAS
OBJETIVO: SATISFACCIÓN MÁXIMA

Hora	Antojo	Grado de hambre	Estado de ánimo	¿Competitividad entre alimentos?	Grado de saciedad	Estado de ánimo	Satisfacción

REGISTRO DE COMIDAS
OBJETIVO: SATISFACCIÓN MÁXIMA

Hora	Antojo	Grado de hambre	Estado de ánimo	¿Compe-titividad entre alimentos?	Grado de saciedad	Estado de ánimo	Satis-facción

7

FASE 4: DISTRIBUYA LAS COMIDAS PARA CONSEGUIR EL MEJOR ESTADO DE ÁNIMO POSIBLE

Janet, letrada y única socia de un prestigioso bufete de abogados, me comentó un día lo sucedido en una reunión de planificación fiscal.

–Llevábamos tres horas de intensísimo debate cuando de repente sentí que me quedaba sin energías, mi mente estaba errática y el estómago rugía. Eché una ojeada al reloj y tal como había sospechado eran las 15.45. Me puse en pie y proclamé: «Disculpen, caballeros, mi cerebro necesita chocolate. Es hora de que me tome el vivificante tentempié de la tarde.» Fue verdaderamente divertido ver las caras que ponían mientras yo abandonaba la sala de reuniones, y todavía más divertido ver sus expresiones de sorpresa cuando volví briosa y lista para resistir otras tres horas.

Janet ya conocía los beneficiosos efectos de responder a las necesidades de su cuerpo a lo largo del día, y hacía de ello una prioridad tanto en el trabajo como en casa. También sabía que el tentempié de la tarde era vital para que su eficiente cerebro de mujer diera el máximo de sí.

Sin embargo, el tentempié de la tarde no es la única «hora de comer» importante para las mujeres. Hay otras horas concretas del día en que nuestro cerebro está en abierta comunicación con nuestros antojos.

Sospecho que a estas alturas usted ya se habrá dado cuenta de que alguna correspondencia hay entre las horas de comer y su influencia en los antojos y los estados de ánimo. La mayoría de las mujeres declara que los antojos más fuertes y más beneficiosos los tienen por la tarde. Esto no es fortuito. Las sustancias químicas del cerebro de la mujer son más influenciables en las horas del mediodía, y lo que usted coma a mediodía influirá grandemente en cómo se sentirá y qué antojos tendrá por la tarde. Del mismo modo, lo que usted coma por la tarde influirá grandemente en cómo se sentirá y qué antojos tendrá por la noche. Si usted no responde a sus antojos durante el día, por la noche se intensificarán.

En lo que respecta a las mujeres, los antojos y el bienestar, la habilidad de escoger el momento oportuno lo es todo. Todos hemos empleado alguna vez la frase: «Estaba en el lugar adecuado en el momento oportuno» al hablar de que hemos conseguido un trabajo o coincidido con una persona importante con la que pretendíamos ponernos en contacto. Puesto que la habilidad para escoger el momento oportuno lo es todo con respecto a las necesidades alimentarias femeninas, también podemos utilizar una frase parecida para referirnos a la conexión entre alimentos y estado de ánimo: «Debo de haber comido los alimentos adecuados en el momento oportuno porque me siento revitalizada.»

Con las tres primeras fases del Plan **ON** usted ha descubierto los alimentos que la complacen entre las féculas, el azúcar, la grasa, el chocolate, la proteína y la sal. También ha aprendido a comer estos alimentos buscando la máxima satisfacción y el máximo beneficio. La siguiente fase del Plan **ON** es aprender *cuándo* comer y cómo distribuir esos alimentos que le dan placer de la manera más eficaz para:

- estabilizar el azúcar de la sangre
- estimular las sustancias químicas del cerebro
- beneficiar al cuerpo y al cerebro.

Cinco pequeñas comidas y un gran provecho

Integrando el Plan **ON** en su vida, Denise descubrió que su cuerpo tendía automáticamente a desear comidas más reducidas y más frecuentes a lo largo del día. Ella lo expresa así:

–Desde luego que las mujeres deberíamos comer cinco veces al día. Si satisfacemos nuestros antojos cuando tenemos hambre, y esto lo hacemos con una pequeña cantidad, podemos esperar que cada pocas horas recibamos mensajes en este sentido.

Denise acierta de lleno, y si usted no sabe todavía lo que es recibir estos mensajes con frecuencia, comprobará que siente hambre cuatro o cinco veces al día...y que respondiendo a ella, su mejoría general será palpable.

En los tarros pequeños está la buena confitura. Con cinco minicomidas al día, usted acusará grandes beneficios. ¿Cuánto de grandes? Pues bien, repartiendo la ingesta diaria en cinco comidas pequeñas y regularmente distribuidas usted:

1. mantendrá el cerebro energizado con un suministro constante de azúcar
2. impedirá aquellos cambios de humor negativos que provocan los bajos niveles de azúcar en sangre

3. contendrá los antojos de azúcar causados por los bajos niveles de azúcar en sangre
4. afrontará mejor el estrés
5. reducirá la tensión premenstrual y menopáusica
6. impedirá la respuesta de inanición suscitada por saltarse las comidas
7. perderá peso porque nunca comerá de más y nunca pondrá a su cuerpo en la circunstancia de tener que almacenar
8. se encontrará más llena de energías en todo cuanto haga, incluido el programa de ejercicio

No tiene nada que perder (excepto el exceso de peso, los cambios de humor y la fatiga), y sí mucho que ganar comiendo cinco veces al día en cantidades reducidas. Y todo ello se consigue gracias a un solo método: mantener estables los niveles de azúcar de la sangre todo el día.

Debido a las hormonas femeninas, el cuerpo y el cerebro de la mujer son sensibles al descenso de los niveles de azúcar en sangre. Esta sensibilidad no significa necesariamente que sea usted hipoglucémica (aunque es posible que alguna de las lectoras lo sea) ni que tenga niveles de azúcar en sangre por debajo de lo normal; significa que hasta las fluctuaciones más menudas de azúcar en sangre pueden afectar al monto de energía cerebral. ¿Por qué? Porque el estrógeno incrementa la sensibilidad de la insulina y hace que ésta se esmere más en el transporte de las moléculas de glucosa desde la sangre hasta las células. Tras una comida o un tentempié, el nivel de azúcar en sangre de la mujer desciende más rápidamente que el del hombre, y en cuestión de un par de horas el suministro de combustible al cerebro empieza a agotarse y la energía está al mínimo.

Este descenso acelerado del azúcar en sangre ex-

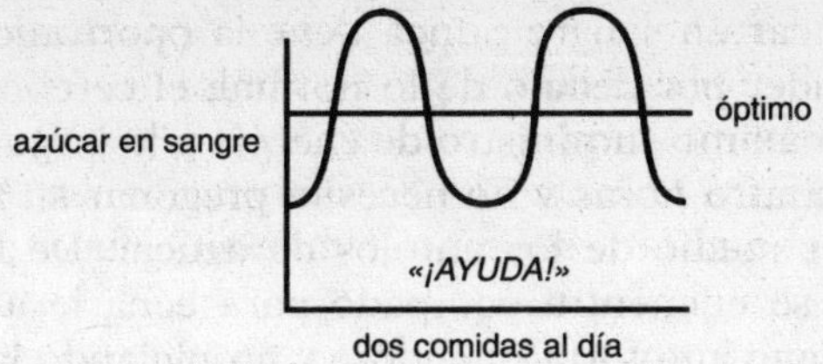

plica por qué saltarse las comidas perjudica nuestro funcionamiento mental y físico. Si usted se salta una comida y sólo come dos veces al día, los niveles de azúcar en sangre descienden por debajo de lo normal entre esas dos comidas, y pasan muchas horas antes de que el cerebro reciba la energía que necesita. Este bajón en el azúcar de la sangre no es aceptable para el cerebro femenino, y éste manifiesta su protesta con dolores de cabeza, irritabilidad y fatiga. El cerebro cree encontrarse en estado de emergencia y exige que le den azúcar de inmediato.

Si usted sigue la recomendación de comer tres veces al día, el promedio de los niveles de azúcar en sangre se mantiene un poco más alto, pero todavía no alcanza el nivel que al cerebro le gustaría. Éste no puede funcionar óptimamente y pide ayuda mediante antojos de carbohidratos

Sin duda ya sabe adónde quiero llegar con esto. Si usted ingiere cinco minicomidas al día, su nivel

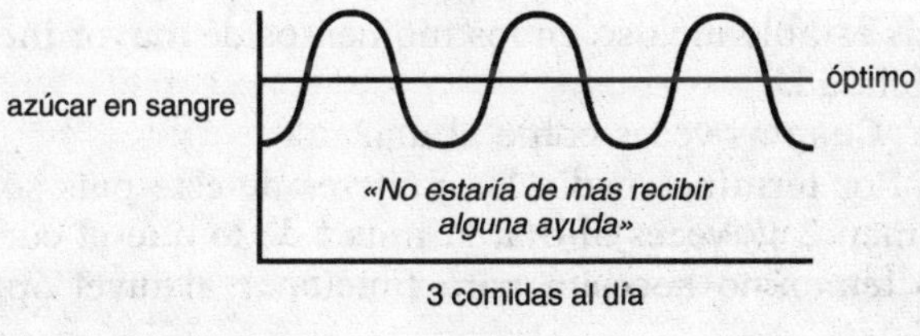

de azúcar en sangre nunca tiene la oportunidad de descender por debajo de lo normal; el cerebro recibe el máximo suministro de energía a lo largo de las veinticuatro horas y no necesita pregonar su malestar por medio de los antojos de azúcar. De hecho, ahora se encuentra equipado para echarle a usted una mano autofortaleciéndose y propiciando la creatividad y la estabilidad anímica.

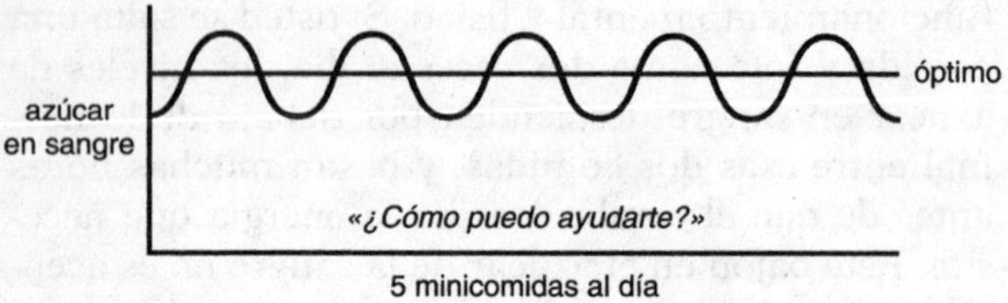

Cada día usted notará los efectos beneficiosos que la estabilidad en el nivel de azúcar en sangre tiene sobre el cerebro, pero también los notará durante la premenstruación, el embarazo, la transición menopáusica y las situaciones estresantes. En estas situaciones (que para la mayoría de nosotras son a diario), el cerebro se vuelve aún más sensible a las variaciones del nivel de azúcar en sangre. Cuando usted deja pasar más de cuatro horas entre comida y comida, la tensión, la depresión y la fatiga se intensifican. Con cinco pequeñas comidas repartidas a lo largo del día, notará que su estado de ánimo es más estable incluso en los momentos de mayor inestabilidad.

¿Cuántas veces come al día?

Por término medio las mujeres de este país sólo comen 2 1/2 veces al día, la mitad de lo que el cuerpo femenino necesita para funcionar al nivel óptimo. Comer 2 o 3 veces al día supone pedirle al cerebro que trabaje en condiciones menos que óptimas. ¿Disfrutaría usted esquiando en condiciones menos que óptimas? Si usted no se encuentra en buena forma, no esquía bien porque debe sortear constantemente los obstáculos y tener cuidado de no resultar herida. Las mismas limitaciones padece el cerebro. Cuando éste no recibe suficiente suministro de azúcar, usted no funciona del todo bien porque debe afrontar obstáculos tales como el dolor de cabeza y los cambios de humor, y es más propensa a los accidentes porque reacciona con más lentitud.

No pregunte lo que su cerebro puede hacer por usted, sino lo que usted puede hacer por su cerebro.

De usted depende proporcionar al cerebro cinco minicomidas al día (¡o como mínimo cuatro!) y las condiciones óptimas para que funcione. Algunas mujeres se resisten a seguir este consejo por dos motivos que las inquietan: demasiada comida y poco tiempo.

–Si como cinco veces al día engordaré dos veces más en una semana y al final del año tendré 10 centímetros más de cadera.

Ahí aparece de nuevo el temor n.° 1: el aumento de peso. Si usted ingiere cinco grandes comidas al día, el miedo está justificado, pero yo no hablo de comidas copiosas; hablo de comidas reducidas. Afronte ese miedo sabiendo que esas cinco minicomidas harán de usted una persona más mini. Si come una pequeña cantidad del alimento que se le antoja, perderá peso, no lo ganará. De hecho una de las estrategias más eficaces para perder peso es repartir los alimentos de esas dos o tres comidas más abundantes en cuatro o cinco veces. Me explico.

Las mujeres nacemos con una programación genética por la que almacenamos grasa con rapidez y eficacia. Cuando consumimos más calorías de las que nuestro cuerpo necesita para funcionar, rápidamente transformamos en grasa esas calorías (sin importar de dónde vengan, ya sea de una manzana o de una tarta de manzana), y la almacenamos en las células de grasa de las nalgas, caderas y muslos. Aunque comiéramos una sola vez al día y si esa comida fuera excesiva, nada nos evitaría que las células de grasa se engrosaran y nosotras aumentáramos de peso. Me doy cuenta de que con una sola comida al día se está en ayunas las 24 horas restantes y que usted puede pensar que de este modo se elimina por un lado lo que entra por otro, pero esto no funciona así. La grasa almacenada sigue donde estaba y las reservas de glucosa, así como la masa muscular, acuden al rescate con las calorías necesarias.

Aunque en tres o en cinco comidas usted consuma el mismo número total de calorías diarias, la clave de la pérdida o la ganancia de peso reside en cómo reparte esas calorías. *Usted elige.*

1 comida de 2.000 calorías	→	notable aumento de peso
2 comidas de 1.000 calorías	→	moderado aumento de peso
4 comidas de 500 calorías	→	notable pérdida de peso
5 comidas de 400 calorías	→	todavía más pérdida de peso

(Las necesidades calóricas individuales varían. Empleo las 2.000 calorías para facilitar los cálculos.)

Una comida no tiene por qué consistir en carne, patatas, verduras, pan, ensalada y luego postre, sino que puede ser tan reducida como un tentempié y estar compuesta por uno o dos grupos de alimentos en lugar de los cuatro, y además el postre. Y también pueden ser todos los grupos de alimentos en cantidades muy pequeñas. Hágase a la idea de comer cinco minicomidas (o maxitentempiés si lo prefiere) al día. El objetivo no es comer más, sino más a menudo; es ingerir la misma cantidad de comida que usted concentra en dos o tres veces repartiéndola en cinco y... ¡perder peso!

–De acuerdo, comprendo la importancia de las comidas reducidas y frecuentes para mantener altas las energías y la estabilidad anímica, y encima perder peso, pero no tengo tiempo. Por las mañanas me ducho en tres minutos, me maquillo de camino al trabajo, apenas me queda un minuto libre para ir al lavabo y salgo disparada a recoger a los niños.

Dése una oportunidad y busque una manera de hacer las cosas que se adapte a su estilo de vida. No hace falta que se pase horas enteras preparando comidas, pero las sencillas sugerencias que a continuación expongo pueden ser útiles para que usted se asegure una provisión de comida.

- Divida en dos la comida del mediodía y guarde una parte para la tarde.
- Lleve una caja de crackers o de galletitas saladas en la guantera del coche.
- Guarde paquetes pequeños de cereales o sobres de sopa instantánea en la oficina.
- Invierta en una nevera pequeña para la oficina.
- Si tiene microondas en casa o en la oficina, úselo. Hay muchas comidas preparadas que son bajas en grasas y se ajustan a las características de una minicomida.

- Localice restaurantes cercanos al trabajo que sirvan comida para llevar; algunos pueden estar a la vuelta de la esquina.
- Cuando haga la compra semanal, vaya preparada con una lista de comidas y tentempiés sencillos, y aprovisiónese.

Para usted, las cinco minicomidas al día pueden convertirse en una prioridad sin que le quiten tiempo para cumplir otras prioridades igualmente importantes. De hecho, puesto que aumentarán sus energías y su productividad, le parecerá que tiene más tiempo para hacer las cosas.

Pero por supuesto, *lo que usted coma* en cada comida puede también influir en sus energías, productividad, antojos y estado anímico.

Estabilizar los desestabilizadores

Por los capítulos anteriores usted ya sabe algo de lo que hay que hacer para estabilizar el azúcar de la sangre. Por ejemplo sabe que el azúcar es un desestabilizador por su efecto «montaña rusa», pero también que para anular este efecto tiene que ingerir una pequeña comida junto con el alimento dulce de su preferencia. Además hay otros desestabilizadores, que son:

la cafeína
el alcohol
los edulcorantes artificiales

La cafeína moviliza la glucosa de los músculos y de las reservas del hígado, e incrementa el suministro de glucosa al cerebro. Por eso una taza de café nos despeja por la mañana y nos mantiene despiertas durante el bajón de la tarde. Puede que esto parezca positivo, pero en cuestión de una hora los niveles de azúcar en sangre descienden y usted se siente cansada e improductiva. Entonces, o bien (a) recurre a otra taza de café para mantener el cerebro despejado, o bien (b) recurre al azúcar para darle combustible.

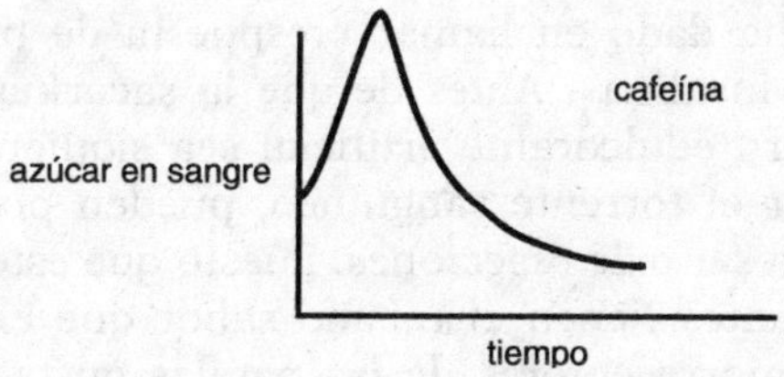

El alcohol se elabora con fuentes de carbohidratos (el vino, de las uvas; la cerveza, de la cebada; el vodka, de las patatas, etc.), de modo que a la larga eleva el nivel de azúcar en sangre, pero el efecto inicial del vino, la cerveza o los licores es producir un ligero descenso del nivel de azúcar en sangre. Como el hígado es advertido de la presencia de una droga, éste impulsa su metabolismo para disponerse a desintoxicar la droga; entonces es cuando se produce este ligero descenso. Así pues, al principio el alcohol puede estimular el apetito, razón por la que es costumbre tomar una copa antes de cenar cuando salimos por la noche.

Además de la cafeína y el alcohol, hay mujeres que pueden ser sensibles al efecto de los edulcorantes artificiales sobre el nivel de azúcar en sangre. En el capítulo 6 hemos visto qué pasa en el cerebro y en el cuerpo al consumir edulcorantes artificiales. És-

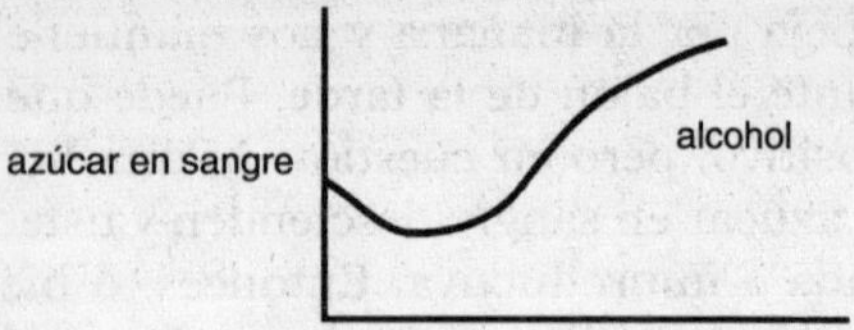

tos no son verdaderas fuentes de azúcar, de manera que no producen el efecto «montaña rusa», pero sí un descenso del nivel del azúcar en sangre por lo que se ha dado en llamar «respuesta de preabsorción de insulina». Antes de que la sacarina o cualquier otro edulcorante artificial sea siquiera absorbido por el torrente sanguíneo, pueden producirse toda una serie de reacciones. Puesto que este tipo de edulcorantes tienen el mismo sabor que el azúcar, los quimiorreceptores de las papilas gustativas envían al cerebro señales de «azúcar en camino, azúcar en camino». El cerebro se alegra, y mientras espera ansioso la llegada del azúcar se comunica con el páncreas: «Las papilas acaban de decirme que viene una carga de azúcar; prepara insulina.» La insulina transporta el azúcar desde el torrente sanguíneo hasta las células, y para cuando el edulcorante artificial ha sido absorbido (y el cerebro se da cuenta de que se trata de una falsa alarma), el páncreas ya ha liberado una cierta cantidad de insulina, con lo que puede descender el nivel de azúcar en sangre.

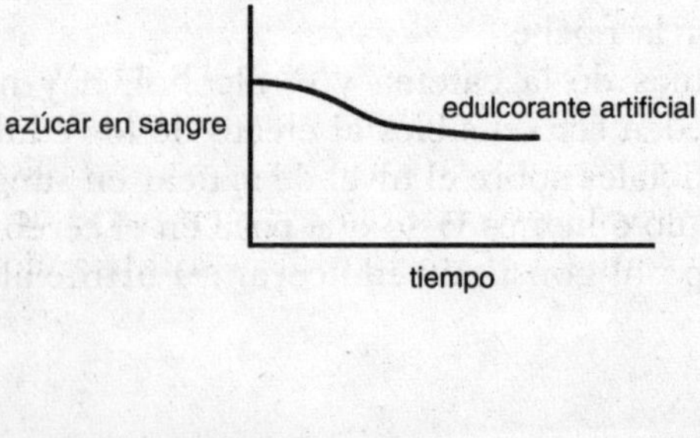

Pongámonos en el peor de los casos. Esta mañana usted se ha dormido y no tiene tiempo de desayunar, pero en cambio sí lo tiene para tomarse una taza de café. Durante la primera hora usted se siente bien porque se ha elevado el nivel de azúcar en sangre, pero después, cuando caen en picado, ya no se siente bien. Para compensar, ingiere algo dulce que espabile al cerebro, y vuelve a sentirse bien por espacio de media hora, pero luego los niveles de azúcar en sangre descienden al mínimo. Tampoco le queda a usted tiempo para comer y entonces recurre a tomarse un refresco bajo en calorías; por la tarde se toma otra taza de café y al llegar a casa, una copa de vino.

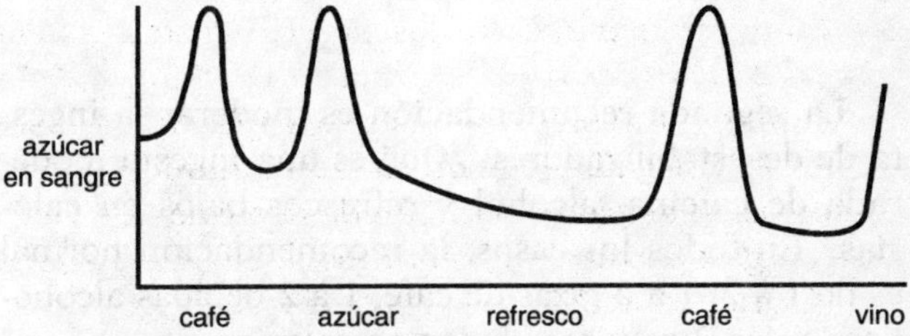

¿Cómo cree que pasará el dia con todas estas fluctuaciones del nivel de azúcar en sangre? ¿Será un día típico? Unos breves estallidos de hiperenergía y muchas horas de funcionamiento menos que óptimo.

No tengo intención de recomendarle que elimine estos desestabilizadores de su dieta, a menos que así lo desee. Sin embargo, me gustaría que tuviera presentes dos cosas: primera, no los consuma con el estómago vacío; procure que formen parte de las cinco minicomidas. Esto retardará su absorción e impedirá la subida y/o bajada del nivel de azúcar en sangre. Compruebe cuán sereno y productivo habría sido el día si hubiera tomado cereales con el café, crackers con el dulce, un bocadillo con el refresco bajo en calorías, galletas saladas con el café de la tarde y el vino con la cena.

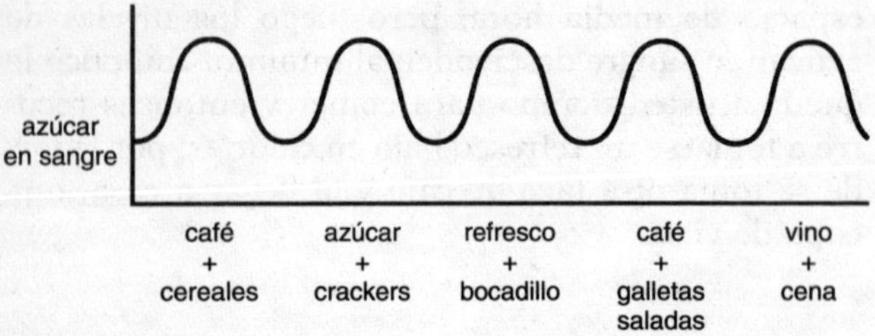

La segunda recomendación es moderar la ingesta de desestabilizadores. ¿Qué es una ingesta moderada de cafeína, alcohol y refrescos bajos en calorías? En todos los casos, la recomendación normal es de 1 a 2: 1 a 2 tazas de café, 1 a 2 bebidas alcohólicas y 1 a 2 refrescos bajos en calorías.

La recomendación de «dos bebidas alcohólicas al día» es fácil de explicar. Lo que se entiende por bebida alcohólica equivale a 110 ml de vino, 330 ml de cerveza, o 55 ml de licor. Pero en cuanto al café, la explicación es más compleja.

La recomendación de consumir «dos tazas de café o menos al día» surgió hace unos quince años, época en que nuestra costumbre era hacer café colado;* dos tazas de café colado tienen unos 200 mg de cafeína, que se considera una cantidad modera-

* Es el que aquí llamamos café americano. *(N. de la t.)*

da. Pero en estos últimos quince años hemos cambiado radicalmente la manera de hacer el café, y muchos estadounidenses hemos adoptado el método del goteo, que da un café mucho más fuerte.

1 taza de café colado tiene 110 mg de cafeína
1 taza de café hecho por goteo tiene 180 mg de cafeína

Así pues, dos tazas de café hecho por el método del goteo tienen 360 mg de cafeína, ¡casi el doble de lo recomendado! ¿Por qué? Cuanto más fino se muele el grano de café, más cafeína se extrae de él. Para este método el grano debe molerse mucho más fino que para hacer café colado, y el café exprés requiere la molienda más fina de todas (un arma de doble filo, porque en mi opinión también es el de sabor más fino).

1 taza de café exprés tiene 350 mg de cafeína

–¡350 mg! No es de extrañar que me sienta tan espabilada después de una taza de café exprés. ¿Y el té? ¿No tiene más cafeína que el café?

No tengo la más remota idea de dónde surge el mito de que el «té tiene más cafeína que el café», pero muchas personas así lo creen. El té tiene mucha menos cafeína que el café. Depende de cuánto rato se deje reposar, pero aunque sean 5 minutos, sólo tiene 40 mg por taza contra los 180 mg del café hecho por goteo.

Quizá debería hacer un aparte para hablar de la medida de una taza. Ya se trate de café o de té, una taza equivale a 140 ml, de modo que si usted declara jactanciosamente que «sólo bebe 2 tazas de café al día», pero consume café hecho por goteo y lo bebe en su jarra favorita, que tiene una capacidad de 280 ml, ¡eso suponen 720 mg de cafeína al día!

Un consumo moderado de cafeína es una taza de 140 ml de café hecho por goteo o 2 tazas de 140 ml de café colado. ¿Y qué decir del café instantáneo y del descafeinado?

1 taza de 140 ml de café instantáneo tiene 60 mg de cafeína

1 taza de 140 ml de café descafeinado tiene 2 mg de cafeína

Hablando de café descafeinado, ¿es verdaderamente una alternativa mejor? Todo depende de cuáles sean sus intereses. Para estabilizar el azúcar en sangre, hidratar el cuerpo, conciliar el sueño y reducir el riesgo de osteoporosis, el café descafeinado es mejor; se ha demostrado que la cafeína deshidrata el cuerpo, produce insomnio y consume calcio de los huesos. Pero para las enfermedades cardiovasculares, el cáncer y las mamas fibrocísticas no importa cuál de los dos se beba, ya que no se ha encontrado relación entre el consumo moderado de cafeína y los ataques al corazón, el cáncer o los bultos dolorosos de las mamas.

Así pues, sean cuales sean sus inquietudes, 200 mg de cafeína al día (una taza de 140 ml de café hecho por goteo) se considera una ingesta moderada. Y no olvide otras fuentes de cafeína tales como los refrescos y las medicaciones.

Tab (330 ml)	54 mg
Pepsi (330 ml)	38 mg
Coca-Cola (330 ml)	45 mg
7Up (330 ml)	0 mg
Chocolate a la taza (140 ml)	7 mg

Anacina (1 tableta)	32 mg
Excedrina (1 tab.)	65 mg
Midol (1 tab.)	32 mg
Dristan (dosis diaria)	32 mg
Dexatrim (dosis diaria)	200 mg
Chocolate (1 onza)	6 mg

Tras leer esta lista, a mis clientes les sorprenden dos cosas:

1. Que hay refrescos con un contenido más alto en cafeína que la Coca-Cola.
2. Y la mejor sorpresa de todas: que el chocolate es bajo en cafeína.

Como ya sabe, el chocolate es uno de los alimentos que más complacen a las mujeres, y la mayoría de las que yo conozco están preocupadas por la cafeína que pueda contener. No hay motivo para preocuparse, el chocolate es extremadamente bajo en cafeína: ¡solamente 6 mg por cada 30 g).

Tanto si se trata de café, de alcohol o de edulcorantes artificiales, estabilice estos desestabilizadores cosumiéndolos moderadamente y no ingiriéndolos solos, sino con esas cinco comidas reducidas y frecuentes. Cada una de estas minicomidas mantendrá elevada la energía del cerebro a lo largo de todo el día, pero hay ciertas horas en que estas comidas son más importantes.

De las 10 a las 16 horas: decir que «sí» a los antojos

Éstas son las horas del día en que más importante es dar satisfacción a los antojos femeninos y realizar las pequeñas comidas. Son horas en las que nunca deberíamos decir No y siempre Sí.

¿Por qué? Porque son las horas del día en que los ánimos y las energías se ven afectadas más positivamente por los alimentos que comemos. Los antojos biológicos se presentan cuando el cerebro está abierto a la negociación y a la influencia. En el caso de la mayoría de las mujeres, esto sucede entre las 10 y las 16 horas. Naturalmente, depende de la hora en que usted se levante. Si cada mañana duerme hasta las 9.59, el período de las 10 a las 16 horas no sería el de los antojos; se acercaría más el de las 13 a las 19 horas. Pero para casi todas nosotras, el reloj interno del cuerpo (o el despertador externo) suena entre las 6.00 y las 7.00, y damos comienzo al día.

La serotonina y las endorfinas pueden ser notablemente influidas en las horas del mediodía, de ahí que los carbohidratos (fécula y azúcar) y la grasa sean los principales antojos femeninos. Ese apetito es el que la lleva a desear los alimentos óptimos para el cerebro.

Recuerde: si no satisface esos apetitos, intentará compensarlo más tarde. Si no satisface sus necesidades de media mañana, a la hora de comer tendrá antojos aún más fuertes. Si no las satisface a la hora de comer, adquirirán más fuerza a media tarde. Si no satisface sus necesidades a media tarde, los antojos serán *incontrolables* a la hora de cenar.

De hecho, los antojos de la noche muy probablemente son el resultado de no haber satisfecho los antojos durante el día. Sara se preparaba cenas pantagruélicas casi todas las noches por lo que ella llamaba sus antojos «tamaño Yeti»; había intentado atajarlos por todos los medios, pero no podía dejar de comer... hasta que siguió el Plan **ON** y empezó a responder a los antojos con comidas pequeñas durante el día. Las cenas pantagruélicas cesaron casi de inmediato. **Si usted responde a las necesidades de su cuerpo durante el día, éste apenas necesita nada por la noche salvo un profundo sueño.**

La cena no es tan importante

–¡Cómo que la cena no es importante! Gran parte de lo que como al día está en la cena, quedamos con amigos para cenar todas las semanas, y salgo a cenar con mi marido todos los sábados. La cena es muy importante para mí y para mi familia.

La importancia que le damos a la cena es un fenómeno cultural, no un fenómeno biológico. En lugar de un desayuno y una comida copiosos seguidos por una cena ligera, hemos forzado al cuerpo a admitir lo contrario de lo que naturalmente necesita. La moderna ética laboral tiene la culpa. Muchas personas tienen que hacer transbordos para llegar por la mañana al trabajo, una pausa de media hora para comer y ninguna para tomarse un tentempié. La única oportunidad que tenemos de alimentar al cuerpo es desde la hora que llegamos a casa hasta que nos vamos a la cama.

Usted podrá pensar que la cena es importante, pero en lo que se refiere al metabolismo, el peso, los niveles de energía y el estado de ánimo, la cena es la comida menos importante del día porque:

- Las sustancias químicas del cerebro funcionan por sí solas *siempre y cuando* haya satisfecho sus necesidades durante el día.
- El metabolismo del cuerpo decae rápidamente y necesita muy pocas calorías para funcionar.

Durante las doce primeras horas del día, el cuerpo y el cerebro necesitan la máxima energía y nutrientes para funcionar. Si usted se levanta todas las mañanas a las 6.00, durante las doce primeras horas del día, hasta las 18.00, el cerebro y el cuerpo trabajan a toda marcha. Su metabolismo y la temperatura de su cuerpo están en los niveles máximos y usted quema cientos y cientos de calorías. El cerebro está obcecado con «hacer las cosas que hay que hacer», y así seguirá mientras usted lo alimente con los antojos y un suministro estable de azúcar.

Pero después de las 18.00 es usted afortunada si su cuerpo necesita 400 calorías para funcionar. ¿Cuántas calorías le da? ¿800?, ¿1.000?, ¿1.500?

Muchas mujeres ingieren alrededor de 1.000 calorías después de las 18.00, eso es, 600 calorías más de las que su cuerpo necesita para funcionar las doce horas siguientes hasta que se levantan. ¿Dónde va a parar el exceso de calorías? Lo ha adivinado: directamente a los muslos. **Lo que come por la noche no es ni para el cerebro ni para el cuerpo, es para las células de grasa.**

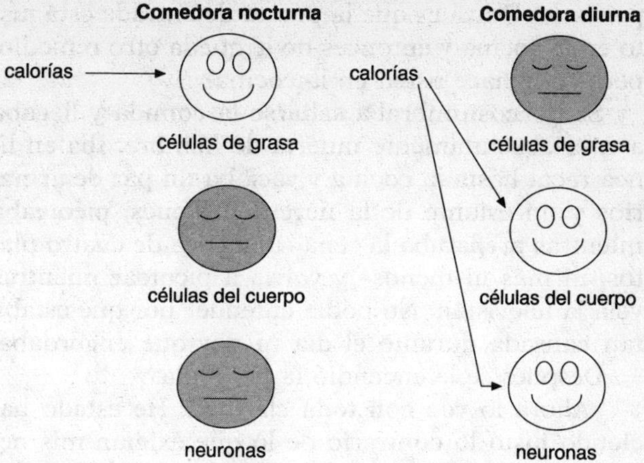

Su cuerpo y su cerebro no necesitan de verdad la cena; solamente requieren un tentempié. Si estuviera en un restaurante y dejara que su cerebro encargara la cena, se decidiría por un entrante en lugar de por el buffet libre.

Si no come durante el día, usted misma se aboca a cenar a lo grande pese a todos los esfuerzos que haga por comer menos. Su cerebro y su cuerpo le dicen que necesitan compensar lo que no les ha dado en las doce horas anteriores. Tiene usted un hambre de oso, picotea toda la noche intentando satisfacer las necesidades no cubiertas y el estómago está lleno a rebosar cuando llega la hora de acostarse. Después, al día siguiente, hace lo mismo: no come durante el día y está muerta de hambre cuando llega a casa por la noche.

¿Cuál es la primera habitación de la casa en la que entra cuando llega a casa al terminar con las actividades del día? ¿Será la cocina? El 94% de las mujeres entramos directas a la cocina sin siquiera pensarlo. Quizá es que la puerta de entrada está justo en la cocina y entonces no le queda otro remedio, pero ¿qué hace usted en la cocina?

Sally acostumbraba saltarse la comida y llegaba a casa absolutamente muerta de hambre. Iba en línea recta hasta la cocina y vaciaba un par de armarios y un estante de la nevera. Después, picoteaba mientras preparaba la cena –una cena de cuatro platos, ni más ni menos– y volvía a picotear mientras veía la televisión. No podía entender por qué estaba tan cansada durante el día ni por qué engordaba.

Después se le encendió la bombilla.

–Ahora lo veo con toda claridad. He estado haciendo justo lo contrario de lo que exigían mis necesidades biológicas y he permitido que la cena dominara mis hábitos alimentarios. No es sorprendente que estuviera constantemente agotada y que tuviera cambios de humor tan extremos, sin contar con que llevo casi toda la vida luchando sin éxito con los problemas de peso. Ya tengo ganas de empezar a poner en práctica lo de las cinco comidas pequeñas, y restar importancia a la cena.

Espero que también usted lo entienda con toda claridad, de manera que esté motivada para adaptar las comidas al metabolismo y para utilizar los alimentos en provecho de su biología. **Las calorías ingeridas durante el día se queman, las calorías ingeridas por la noche se almacenan.**

Si usted come mucho por las noches, activa las células de grasa. La cena de cinco platos de ayer estará por la mañana en las células de grasa. Y una vez está allí, allí se queda... salvo que haga ejercicio.

–¿Ejercicio? Si hiciera ejercicio antes de cenar, ¿no se me aceleraría el metabolismo y podría así cenar más sin ganar peso?

Muchas de mis clientes hacen esta pregunta, y es

cierto que el ejercicio activa el metabolismo, pero los efectos se dejan notar a largo plazo, no a corto plazo. Y activa el metabolismo todo el día, no justo después de hacer ejercicio. Dejar el ejercicio para la noche puede ayudar un poco, pero yo preferiría ver que cena poco y que hace ejercicio cuando es conveniente para usted.

Dé importancia a las comidas del día, y réstele importancia a la cena. Fácil de decir, pero a veces díficil de poner en práctica. Las cenas copiosas y los picoteos de la noche están tan arraigados en nuestra cultura que creemos necesitarlos.

Necesito algo dulce por la noche. Satisfaciendo sus necesidades durante el día, muy probablemente descubrirá que no necesita nada dulce por la noche. Si usted responde a las necesidades de su cuerpo en las horas diurnas, pero todavía siente antojo de algo dulce por la noche, asegúrese primero de que no se trata de un antojo emocional; si de verdad es un antojo biológico, satisfágalo con una pequeña cantidad.

Necesito comer para relajarme por la noche. Comer no es una técnica de relajación eficaz. Es tan ineficaz que con frecuencia el resultado es un estrés todavía mayor, porque nos sentimos culpables y empezamos a preocuparnos por los kilos. ¿No habría otras cosas que la ayudaran a relajarse? ¿Leer un libro, escuchar música, hacerse un té de hierbas?

Necesito comer justo antes de irme a la cama para poder conciliar el sueño. Utilizar la comida para inducir el sueño es una falsa ilusión. La sangre dirigida al estómago para hacer la digestión puede adormecer el cerebro, pero usted dormirá intermitentemente y descansará menos. Si tiene dificultades para conciliar el sueño, en el capítulo siguiente encontrará unas cuantas técnicas eficaces.

Necesito que las cenas con mi familia sean abundantes y prolongadas. Seguramente todos los miembros de la familia saldrían beneficiados si la cena fuera menos copiosa, pero si no se avienen a ello, sírvales a ellos raciones más grandes y reserve para usted raciones más reducidas. Así puede disfrutar igual de la cena en familia. Aunque cene un poco tres o cuatro noches a la semana, notará la diferencia.

No hay ninguna necesidad fisiológica que justifique cenar mucho por la noche; basta con una minicena. Muchas otras culturas hacen la comida más copiosa a mediodía y no padecen los problemas de peso que nosotras tenemos. Como tampoco padecen tan severamente, por cierto, los síntomas premenstruales o menopáusicos. Estamos concebidas para ingerir comidas frecuentes y pequeñas, y la más pequeña de ellas por la noche.

¡ALTO! ¿SIENTE AHORA MISMO ALGÚN ANTOJO BIOLÓGICO?

Si la respuesta es afirmativa, compruebe qué hora es para ver si está dentro del período de las 10 a las 16 e intégrelo en una de las cinco minicomidas.

Ahora que ya tiene los conocimientos y las destrezas necesarias para distribuir los alimentos buscando un estado de ánimo mejor, pongamos en práctica esta fase.

SEMANA 4: Plan de AcciÓN

FASE 4: Distribuir los alimentos para conseguir el mejor estado de ánimo posible.

OBJETIVOS:

1. Comer cinco minicomidas para estabilizar el azúcar en sangre.
2. Estabilizar los desestabilizadores del azúcar en sangre.
3. Concentrarse en las horas centrales del día para equilibrar las sustancias químicas del cerebro.

TÉCNICAS:

1. Repartir la comida en cinco minicomidas.
2. Partir el bocadillo de la comida en dos y reservar una parte.
3. Llevar tentempiés en el bolso y en la guantera.
4. Preparar una lista de compra con tentempiés sencillos de preparar.
5. Tener algo de comida en la oficina.
6. Consumir el azúcar, la cafeína, el alcohol y los edulcorantes articiales junto con la comidas.
7. Moderar la ingesta de cafeína, alcohol y edulcorantes artificiales.
8. Prestar mucha atención a los antojos entre las 10 y las 16 horas.
9. Pensar en la cena como si fuera un tentempié nocturno.
10. Darse cuenta de que las grandes cenas sólo sirven para ganar peso.
11. Utilizar la Escala de Hambre/Saciedad.
12. Utilizar la Escala de Estados de Ánimo.
13. Llevar registros de comida toda la semana que viene para practicar estas técnicas.

Esta cuarta semana quiero que siga evaluando el grado de hambre, el estado de ánimo antes y después de comer, el grado de saciedad y el nivel de satisfacción, pero también que empiece a repartir la ingesta de comida en varias comidas más pequeñas, con especial hincapié entre las 10 y las 16 horas. Anote las horas de las minicomidas o los tentempiés, y si ha tenido o no antojos; no olvide comprobar si ha existido competitividad entre alimentos, y vigile los desestabilizadores del azúcar de la sangre.

En las páginas siguientes hay un registro de comidas para que usted lo utilice como borrador, y otro para que lo utilice la semana que viene. ¡Éste es el último!

REGISTRO DE DISTRIBUCIÓN DE COMIDAS

Hora	Comida/ tentem- pié Antojo	Grado de hambre	Estado de ánimo	¿Compe- titividad? Desesta- bilizadores	Grado de saciedad	Estado de ánimo	Satis- facción
______	______	______	______	______	______	______	______
	______			______			
	______			______			
______	______	______	______	______	______	______	______
	______			______			
	______			______			
______	______	______	______	______	______	______	______
	______			______			
	______			______			
______	______	______	______	______	______	______	______
	______			______			
	______			______			
______	______	______	______	______	______	______	______
	______			______			
	______			______			
______	______	______	______	______	______	______	______
	______			______			
	______			______			
______	______	______	______	______	______	______	______
	______			______			
	______			______			

REGISTRO DE DISTRIBUCIÓN DE COMIDAS

Hora	Comida/ tentempié Antojo	Grado de hambre	Estado de ánimo	¿Competitividad? Desestabilizadores	Grado de saciedad	Estado de ánimo	Satisfacción

8

FASE 5: SIGA SU RUTINA DE ALIMENTACIÓN ÓPTIMA

Dése una palmadita en la espalda, póngase un diez y obséquiese con una pastillita de chocolate. ¡Ha descubierto su rutina de alimentación óptima! Ha sabido prescindir de las desfasadas creencias sobre la nutrición y de las viejas e insanas reglas de alimentación, ha enterrado todas las dietas de adelgazamiento y ha dejado que fuera su cuerpo quien definiera el qué, el porqué y el cuándo de la alimentación sana. Cambiar actitudes, creencias y comportamientos no es tarea fácil. Enorgullézcase de sus logros.

Theresa reflexiona sobre estas cuatro semanas:

–Cuando empecé con el Plan **ON**, pensé que iba a ser como un reestreno de «Misión Imposible». Demasiado bueno para ser verdad: coma lo que quiera y satisfaga sus antojos, preste atención a las señales de hambre y saciedad de su cuerpo y así estabilizará ánimos, renovará energías y perderá peso *mientras* come chocolate. Pero en tan sólo cuatro semanas me encuentro mejor que en toda mi vida, el período vino y se fue sin la habitual estampida de búfalos que anuncia su llegada y he perdido un kilo sin proponérmelo.

Espero que usted pueda decir lo mismo. Ya ve lo lejos que ha llegado en este mes. Antes de leer este libro, usted intentaba combatir sus antojos femeninos con el rechazo, la privación y la restricción, pero a la larga perdía esta batalla con un inevitable atracón. Se saltaba comidas, cenaba en exceso, y su peso, estado anímico, mente y cuerpo se llevaba lo peor de aquella nada óptima rutina alimentaria.

Ahora –con las orientaciones del Plan **ON** y su conocimiento intuitivo sobre la alimentación– usted nutre su mente y su cuerpo buscando mejorar su estado de ánimo y beneficiar a su cuerpo como nunca antes.

Ha adquirido la confianza necesaria para satisfacer sus antojos con una pequeña cantidad de lo que desea comer. Se ha dado cuenta de que la satisfacción de comer es esencial y sabe cómo alcanzarla. También ha comprobado la importancia de las cinco minicomidas, de los tentempiés y de la comida de mediodía. Ahora, el paso siguiente es atenerse a la rutina de alimentación óptima para que sus efectos repercutan en los ritmos vitales todos los días, todos los meses, todos los años; y sobre todo cuando el cerebro se halla bajo tensión por estrés o por falta de sueño.

Alimentación óptima para los ritmos diarios

El cerebro y el cuerpo siguen a diario ciclos naturales con fluctuaciones en las sustancias químicas del cerebro, nivel de glucosa en la sangre, hormonas, temperatura corporal, y ritmo metabólico. Usted es un ser «diurno», lo que significa que el cuerpo se atiene a un ciclo día/noche, y que los procesos del organismo están regulados de manera que la mantienen despierta y en funcionamiento durante el día, y dormida y en descanso durante la noche.

Estos ciclos se repiten cada veinticuatro horas y están sincronizados con precisión por un dispositivo de relojería especial que está en el cerebro y que se llama núcleo supraquiasmático. Aunque el término nos recuerde alguna de las palabrejas que empleaba Mary Poppins en sus canciones, hablamos de la morada del reloj biológico interno. Ese reloj hace algo más que marcar los años fértiles; también marca, regula y coordina todos los procesos del organismo.

El cuerpo es como una orquesta de 10.000 instrumentos y el cerebro, su director. Todos los instrumentos tienen que estar sincronizados para que el sonido de la música sea el mejor. Lo que usted come y el momento en que lo come puede desafinarlos. Cuando come con arreglo a sus necesidades biológicas diarias, usted está en armonía con los ritmos de su cuerpo. Gracias al Plan **ON** usted está en contacto con los ritmos diarios óptimos y utiliza los alimentos en provecho de esos ritmos, de modo que usted funciona al máximo nivel de eficacia durante el día y logra el máximo nivel de sueño profundo por la noche.

Quizá no se dé cuenta, pero usted ya está haciendo ambas cosas. Déjeme sin embargo convencerla todavía más de por qué querrá seguir con el Plan **ON** todos y cada uno de los días de su vida.

Durante el día, el cuerpo y el cerebro reciben y necesitan de un constante bombeo de combustible que les proporcionan los alimentos de los que usted siente antojo. Pero por la noche, el cuerpo y el cerebro aflojan la marcha y se preparan para el sueño; en consecuencia, necesitan bien poco.

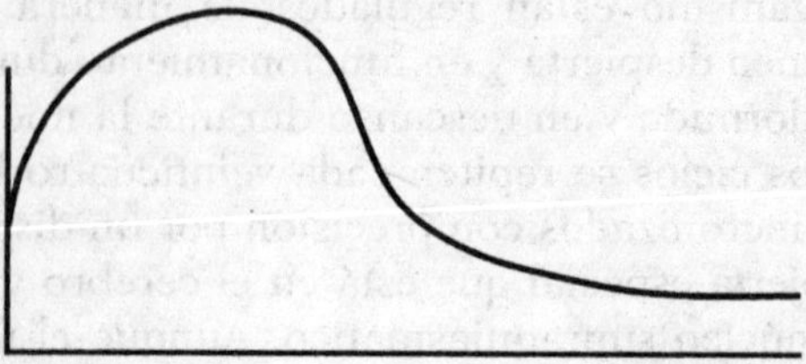

DÍA	NOCHE
metabolismo alto	metabolismo lento
temperatura corporal alta	temperatura corporal baja
necesidades calóricas altas	necesidades calóricas bajas
niveles hormonales altos	niveles hormonales bajos
conexión entre alimentos y estado de ánimo	sueño

Desayuno: la llamada para despertar al cuerpo

El sol sale por la mañana y el mundo se despierta. El despertador del cuerpo suena con una ola de hormonas, sustancias químicas cerebrales y estimulantes bioquímicos. ¿Qué es mejor para desayunar y comenzar el día con los ritmos biológicos sincronizados? Los carbohidratos, pero no para la serotonina del cerebro, sino para el cuerpo.

Usted lleva entre 10 y 12 horas en ayunas desde la última comida, que esperemos consistiera de verdad en un tentempié a la hora de cenar. A lo largo de la noche, las necesidades calóricas, tan bajas como son, han sido atendidas por las reservas de los músculos y el hígado. Al despertar por la mañana, el primer objetivo del cuerpo es reabastecer esas reservas de glucosa y el cerebro libera una sustancia química que induce a consumir alimentos altos en carbohidratos para alcanzar ese objetivo. Esta sustancia se llama neuropéptido Y, y es la responsable de que el cuerpo pida carbohidratos al despertar.

No en vano los alimentos básicos de los desayunos son los cereales, las tostadas, las tortitas, los bollos o las galletas. Incluso antes del descubrimiento del neuropéptido Y, nuestro cuerpo sentía por las mañanas una afinidad natural con la fécula y el azúcar, y la industria alimentaria ha aprovechado la oportunidad para lanzar al mercado toda clase de atractivos productos para el desayuno, como Donuts, napolitanas, madalenas, palmeras, croissants o Bollycaos.

Cuando a primera hora de la mañana usted entra en la panadería, la vista va a fijarse en estos alimentos dulces y gracias al neuropéptido Y se le hace la boca agua. Este tipo de alimentos reabastecerán las reservas de glucosa de los músculos y el hígado, pero (como usted ya sabe por los capítulos anteriores), también afectarán negativamente a los niveles de azúcar de la sangre y a usted le restarán vigor. Si por ejemplo desayuna un Donut y una taza de café, en cuestión de una hora puede sentirse impelida a meterse otra vez entre las sábanas.

Así pues, ¿cuál es el desayuno de los campeones? Empiece el día con alimentos ricos en fécula y responda a los mensajes del neuropéptido Y para reabastecer las reservas de carbohidratos sin que disminuya el azúcar de la sangre. Algunas personas dicen que tomar algo de proteína en el desayuno también les ayuda a empezar el día con buen pie. Por la mañana no es necesario preocuparse por la competición entre alimentos y su efecto sobre el estado de ánimo.

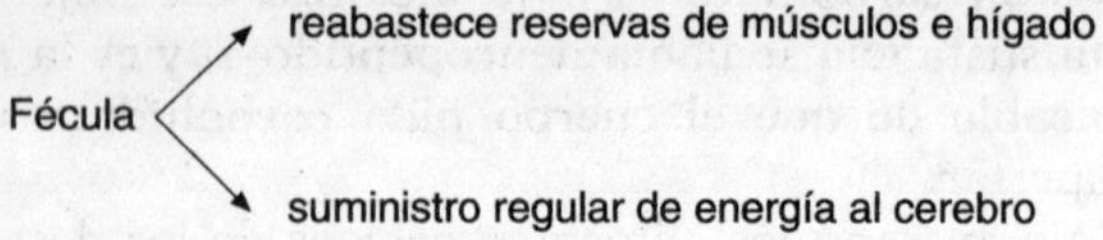

–Pero ¿qué pasa si no tengo hambre por la mañana? ¿Debo forzarme a desayunar?

Ésta es una pregunta que me hacen una y otra vez, y normalmente la respondo haciendo a mi vez algunas preguntas importantes.

- ¿qué cenó anoche?
- ¿picoteó después de cenar?
- ¿comió algo antes de irse a la cama?

Puesto que también el estómago intenta echarse un sueñecito, por la noche apenas hace digestión, de modo que si usted cenó cinco platos o se comió tres helados o un sandwich de tres pisos con acompañamiento de patatas fritas (o todo) mientras veía la televisión, por la mañana se despertará teniendo aún comida en el estómago. ¿Cómo podría tener hambre?

De hecho, una de las mejores señales de que ha conseguido una rutina de alimentación óptima es *tener hambre* al despertar. Si ha seguido el Plan **ON** y cenó poco, el estómago estará ansioso de recibir comida por la mañana, y el neuropéptido Y será el que estimule el antojo de carbohidrato para reabastecer las reservas.

anoche cena ligera → hambre esta mañana → neuropéptido Y → antojo de fécula

Sally estaba inquieta porque según ella algo fallaba en su rutina de alimentación. Aunque sus comidas eran ya más reducidas y frecuentes, y cenaba la mitad de lo que había acostumbrado hasta entonces, seguía sin tener hambre por las mañanas.

–Pensar en comer antes de las 9 me da náuseas. Sé que no estoy embarazada, de manera que no encuentro explicación. ¿Qué me pasa?

Ni a ella ni a usted les pasa nada si lo que tienen es aversión a la comida por las mañanas. La rutina de alimentación óptima es un poco diferente en cada caso. Si usted está siguiendo el Plan **ON** y no se levanta con hambre por las mañanas, haga caso de su cuerpo y no coma. Si el cuerpo le envía señales a las 9, coma a las 9. Pero guárdese de cometer el común error de no ingerir nada hasta el mediodía (que es la siguiente hora de comer socialmente aceptada). Para entonces tendrá hambre acumulada, le será imposible no comer en exceso y distorsionará aún más sus ritmos diarios.

«Dígame exactamente qué debo comer en el desayuno.» Los participantes en mis seminarios y mis clientes siempre piden concreciones, y se desconciertan cuando cambio las tornas y les pido que sean ellos quienes me digan qué necesitan. Ni a ellos ni a usted les puedo decir qué tienen que comer en el desayuno ni en ninguna otra comida. **Solamente *su* cuerpo puede decirle qué necesita.** Basándonos en los ritmos biológicos y en el neuropéptido Y, lo que sí *puedo* decir es que con toda probabilidad el cuerpo la induzca a comer fécula y tal vez proteína, pero el tipo de fécula y lo que usted coma con ella, es cosa suya. A lo mejor hoy ha necesitado tomar cereales con leche, mañana quizá necesite un huevo pasado por agua con tostadas y pasado mañana, sobras de pasta.

Tentempiés de media mañana

Digamos que lo primero que ha hecho por la mañana, respondiendo a la llamada del cuerpo, es darle carbohidratos en cantidad moderada con, quizá, algún acompañamiento de proteína o fruta. Durante las primeras horas del día usted ha sido productiva, pero han transcurrido tres horas y si se atiene a los ritmos biológicos, ya debería sentir hambre otra vez y a lo mejor empezar a sentir también un bajón de energía y de ánimos. La rutina de alimentación óptima anticipa sus necesidades y las satisface en el momento perfecto; un tentempié a media mañana le dará el impulso que necesita para el resto de la mañana.

¿Cuáles son los mejores tentempiés para conseguir tal propósito?

De nuevo, no puedo decir cuáles son los «mejores»; simplemente, usted elige comer aquello que *quiere* y le *apetece*, y por primera vez en el día, puede tratarse de algo que no solamente favorezca el suministro de azúcar al cerebro, sino también a las sustancias químicas del cerebro y al estado de ánimo. Recuerde las horas para decir «sí» a los antojos: de 10 a 16. A última hora de la mañana es cuando las sustancias químicas del cerebro pueden verse positivamente influidas por los alimentos. De vez en cuando tal vez desee proteínas para liberar dopamina, pero nueve veces de cada diez se tratará de carbohidratos, no para reabastecer las reservas de glucosa sino, en esta ocasión, para revitalizar el cuerpo y la mente equilibrando la serotonina del cerebro y el azúcar de la sangre.

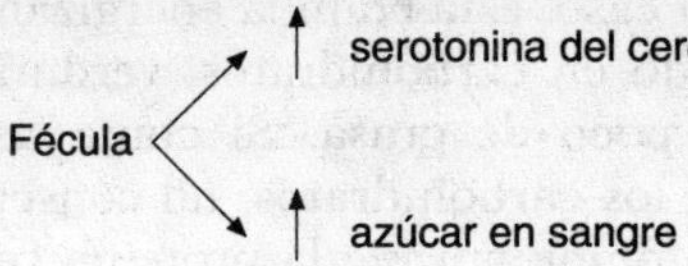

Una comida para reanimar

Se ha encontrado magníficamente toda la mañana porque el desayuno y el tentempié de media mañana se han ajustado a los ritmos biológicos. Ahora empieza otra vez a sentirse hambrienta. Antes de que el azúcar de la sangre y la serotonina desciendan demasiado, hay que volver a dar impulso a esos ritmos.

Cada una de las cinco minicomidas del día es importante para el cuerpo y la mente femeninos, pero es al mediodía cuando todos los procesos metabólicos funcionan al más alto de los niveles posibles; de ahí que la comida eleve los ánimos, la energía y la productividad durante el resto del día.

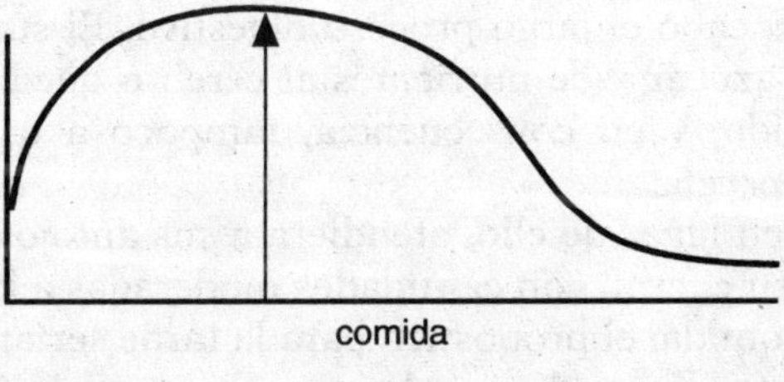

A veces el cuerpo le pedirá proteínas, de manera que la comida puede consistir en un sandwich de pechuga o un pepito de ternera. Sin embargo, es muy probable que casi siempre le pida carbohidratos por los efectos calmantes que tiene la serotonina. Si tal es el caso, esta comida energizante consistiría sobre todo en carbohidratos, verduras y posiblemente un poco de grasa. Si come demasiadas proteínas con los carbohidratos, no conseguirá propulsar la serotonina porque la proteína compite y... gana.

–La verdad es que he hecho caso de los antojos y he comido pasta con salsa de tomate casi todos los días a la hora de comer, pero al cabo de media hora me embarga una especie de modorra en lugar del esperado acceso de energía de la tarde.

Jessica no estaba nada convencida de que las féculas fueran esas compañeras para toda la vida de las que hablábamos en un capítulo anterior. La razón de que sus comidas a base de pasta no dieran la esperada explosión de energía resultó ser la cantidad que ingería. Jessica ponía ante sí un plato que parecía una cordillera, y en lugar de trepar por ella, se la comía entera.

Comer en exceso sobrecarga el cerebro. Si come en exceso a la hora de la comida (aunque casi todo sean carbohidratos), el cerebro entra en sobrecarga y la sangre es desviada hacia el estómago para llevar a cabo el largo proceso digestivo. El suministro de azúcar y de nutrientes al cerebro queda interrumpido, y en consecuencia, tampoco a usted le llega energía.

Si, en lugar de ello, atendiera a sus antojos y nutriera su cuerpo con cantidades moderadas a la hora de la comida, el pronóstico para la tarde sería: «pensamiento claro y despejado para el resto del día; disposición de ánimo sin atisbos de marejada». Si comiera en exceso o se saltara la comida, el pronóstico para la tarde sería: «pensamiento encapotado para el resto del día con turbulencias y marejada de fondo en el estado de ánimo».

Comer para vencer el bajón de las 15.30

A medida que transcurre el día y llega la tarde, usted empieza otra vez a sentir hambre, los ánimos y la energía están necesitados de un nuevo impulso.

En algún momento entre las 14.00 y las 16.00 horas aparece el infame bajón de la tarde y entonces experimentamos un decaimiento de ánimo, de energía y de productividad. Algunos cronobiólogos (expertos en ritmos biológicos) creen que todos estamos biológicamente concebidos para dormir una siesta por las tardes. Muchas culturas hacen la siesta, y en esas horas cesa toda actividad. A muchos de nosotros, los estadounidenses, cuando viajamos al extranjero, nos cuesta entender esta práctica y nos llevamos un chasco al ver que se limitan los horarios comerciales. Estas culturas, sin embargo, no padecen los problemas de obesidad que nosotros tenemos, como tampoco es alto su riesgo de contraer enfermedades relacionadas con el estrés.

Nuestros horarios de trabajo nos impiden hacer la siesta, de manera que para superar el mal rato tomamos cafeína y azúcar. Desde luego que incrementan la energía, pero por un breve espacio de tiempo después del cual la energía desciende aún más que antes de ingerir el azúcar y la cafeína.

Tanto si el bajón de la tarde es un mensaje de nuestro reloj biológico para que durmamos siesta como si no, lo cierto es que tienen lugar ciertos cambios en las sustancias químicas del cerebro que efectivamente reducen la energía y estimulan los antojos por determinados alimentos. Estos cambios explican por qué por la tarde somos dadas a gastar en chocolate más dinero que en ningún otro momento del día.

La razón principal de esta necesidad urgente de chocolate a esas horas es otra sustancia química del cerebro femenino: la galanina. No se inquiete, ¡es la última! Hacia el final de la tarde, el cerebro libera galanina, y a usted se le abre el apetito por los alimentos ricos en grasas. La galanina estimula los antojos de grasa *y* el almacenamiento de grasa en la células correspondientes.

–¿Por qué diantres querría yo que mi cerebro hiciera algo así? No quiero tener antojos de grasa y desde luego no quiero almacenar grasa ni aumentar de peso.

Pues bien, su cerebro tiene ideas propias y un motivo para todo lo que hace. La explicación se encuentra una vez más en el mecanismo de supervivencia femenino. El metabolismo y las necesidades calóricas descienden de manera importante por la tarde, y con la galanina el cerebro aprovecha esta oportunidad para almacenar tanta grasa como sea posible en previsión de una hambruna.

Los poderes que controlan el apetito femenino son vastos y fuertes. Usted no puede impedir que se libere galanina (lo siento, aún no existen píldoras antigalanina, aunque hay laboratorios que trabajan en ello), como tampoco puede oponer resistencia a los antojos de grasa, pero satisfaciéndolos de inmediato con una *pequeña cantidad* y haciendo ejercicio regularmente (presentación en el próximo capítulo) puede someterlos.

Si satisface el antojo con una cantidad muy pequeña de grasa, la galanina se sentirá como si hubiera conseguido su objetivo y se retirará de buena gana hasta el día siguiente por la tarde. Pero si intenta resistirse a los antojos de grasa, la galanina será liberada con toda su fuerza y usted tendrá más antojo de grasa en lo que queda de día.

Así pues, ¿cuál es la mejor manera de vencer el bajón de la tarde? De nuevo se trata de lo que a *usted* se le antoje, pero basándonos en el estado de la química cerebral por la tarde bastará con un poco de azúcar, un poco de fécula y un poco de grasa.

azúcar: para conseguir el rápido acceso de energía que usted necesita para salir del bajón
fécula: para mantener la energía positiva lo que queda de día
grasa: para responder a las demandas de la galanina y también para incrementar las endorfinas y con ellas elevar el ánimo

(Ejemplo de tentempiés adecuados para la tarde son: un bollo de salvado o de pasas, un trozo de chocolate con un par de crackers, o la mitad de un panecillo con crema de queso y un vaso de zumo de naranja.)

La galanina y las endorfinas trabajan al unísono. La galanina estimula los antojos de grasa y cuando hemos ingerido la grasa las endorfinas nos recompensan por haber tomado tan sabia decisión haciéndonos sentir bien. Cuando respondemos a los antojos de grasa comiendo una pequeña cantidad aparece un estado de ánimo positivo y desaparece el antojo.

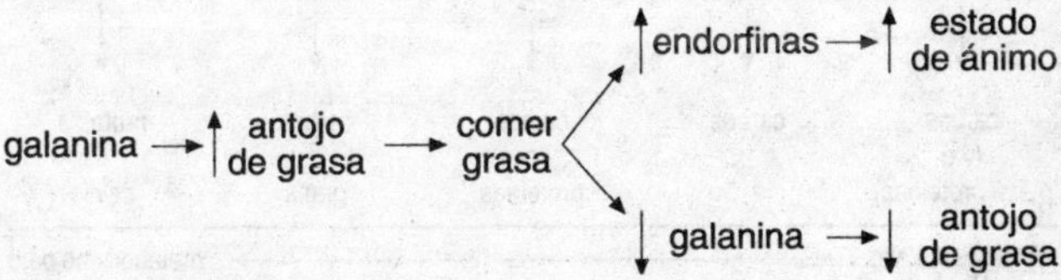

Otro efecto beneficioso del tentempié a última hora de la tarde es que reduce los antojos y a la vez la cantidad de comida que usted necesita por la noche. No llegará a casa muriéndose de hambre y no tendrá por qué ir directa a la cocina.

Tal como ya hemos tratado a fondo en el capítulo anterior, el cuerpo y el cerebro en realidad no necesitan ningún aporte de combustible después de las 18.00, y por lo tanto la cena es la comida menos importante del día. Por la noche, las sustancias químicas del cerebro que estimulan el metabolismo fichan la salida en el reloj y las sustancias químicas inductoras del sueño se presentan al trabajo. Ni el cuerpo ni el cerebro necesitan mucho alimento por la noche. Es la oportunidad perfecta para ingerir otros alimentos saludables: una sustancial fuente de proteínas junto con productos lácteos.

Recopilemos todas nuestras necesidades alimentarias bioquímicas diarias.

¡Naturalmente, la verduras pueden y deben comerse a cualquier hora del día! Recuerde: lo más importante es que preste atención a los mensajes alimentarios. Si el mensaje de la tarde es comer yogur, o el mensaje de la cena es comer pasta, ¡cómalos!

Desayuno	Tentempié de media mañana	Comida	Tentempié de media tarde	Cena
Neuropéptido Y	serotonina	serotonina o dopamina	galanina endorfinas serotonina	ø
↓	↓	↓	↓	↓
carbos (y o quizá proteínas)	carbos	carbos o proteínas	carbos y grasa	proteína y calcio

metabolismo alto ——————→ metabolismo bajo

Ésta *es* la rutina de alimentación óptima que el cuerpo, de un modo natural, querrá seguir. Es la que se adapta a los biorritmos diarios de la mujer y los complementa, ingiriendo los alimentos adecuados en los momentos oportunos. Pero aún hay otros dos ritmos naturales femeninos de los que hay que hablar.

Utilizar los alimentos en provecho de los ritmos: mensual y anualmente

Los ritmos mensuales femeninos están influidos por las fluctuaciones hormonales, y los ritmos anuales por los cambios de estación. Estos ritmos no son en realidad muy distintos de los ritmos diarios. Reflejan los altibajos de las fluctuaciones hormonales, el metabolismo, la energía y el estado de ánimo.

Durante el momento álgido del mes y del año, usted se encuentra en plena forma y tiene el máximo de energía. Cuando el ritmo desciende antes del período y en los meses de invierno, la rutina de alimentación óptima es *necesaria* para mantener equilibrados el ánimo, la mente y la energía.

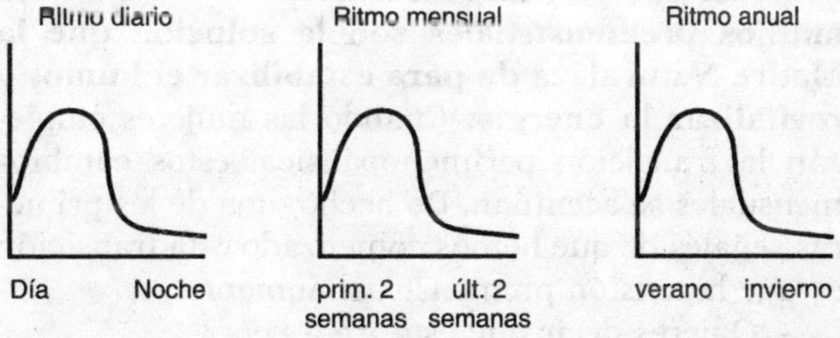

–Si sigo esa rutina de alimentación que es óptima para mí, ¿se me curará el SPM?

El SPM no tiene cura porque no es una enfermedad. No prometo que los síntomas desaparezcan con el Plan **ON**, pero desde luego serán más llevaderos. Igual que es inevitable que experimentemos cambios de humor y antojos a ciertas horas del día (10.00 a 16.00 horas), también los experimentamos en ciertos momentos del mes: las dos últimas semanas del ciclo menstrual. El 87 % de las mujeres encuestadas dicen tener antojos más fuertes antes del período. Aproximadamente una semana antes de comenzarlo, todos los cambios diarios y todos los antojos se hacen más manifiestos.

- Tenemos antojos más fuertes entre las 10.00 y las 16.00 h.
- Tenemos más antojo de chocolate, azúcar y grasa.
- El bajón de energía de la tarde es más pronunciado.
- Tenemos el humor más alterado.
- Nos afectan más los altibajos del azúcar en sangre.

En consecuencia, prestar atención a las necesidades del cuerpo y responder a ellas es esencial. **Los antojos premenstruales son la solución que la Madre Naturaleza da para estabilizar el humor y revitalizar la energía.** Cuando las mujeres empiezan la transición perimenopáusica, estos cambios mensuales se acentúan. De hecho, una de las primeras señales de que hemos comenzado esta transición es que la tensión premenstrual aumenta.

–¿Quieres decir que esto irá a peor?

Sabrina tiene 39 años y desde hace dos viene notando una mayor tensión premenstrual. En su caso no puede ir a peor porque está claro que ya se halla en plena transición hacia la menopausia. A partir de una cierta edad, esta transición puede dar comienzo en cualquier momento, pero al parecer ahora empieza antes y dura más. Sea cual sea la explicación para este cambio –el estrés, el medio ambiente, o los rigores del estilo de vida–, ¡responder a los antojos cobra aún mayor importancia!

Durante la transición a la menopausia, los antojos pueden ser más intensos y más frecuentes, y los cambios de humor más pronunciados. Para usted, que lee este libro y está en la premenopausia, tengo la esperanza de que siguiendo adecuadamente una rutina de alimentación óptima los cambios propios de la perimenopausia sean menos acusados. Si en cambio ya está en la transición, nunca es tarde. Ponga a trabajar los alimentos en provecho de los ritmos y comprométase a confiar en las necesidades de cuerpo y a atenderlas debidamente.

Finalizada la transición y ya en la posmenopausia, los ritmos mensuales se parecen más a un suave oleaje que a una marea. De los resultados de mi encuesta se desprende que los antojos varían en las mujeres posmenopáusicas.

- Se reducen considerablemente los antojos de azúcar y de grasa... **¡pero no de chocolate!**
- Aumentan notablemente los antojos de proteína, verdura y fruta.

En la posmenopausia, el estrógeno y otras hormonas femeninas ya no fluctúan ni afectan a las sustancias químicas del cerebro y a los ritmos del cuerpo. Así pues, disminuye la necesidad biológica de azúcar y grasa. Las mujeres posmenopáusicas tampoco son tan sensibles a las variaciones del azúcar en sangre. Las comidas reducidas y frecuentes siguen siendo importantes para controlar el peso, pero dejan de ser importantes para estabilizar el azúcar de la sangre.

¿Cuál es la explicación de que los antojos de proteína sean más frecuentes? Todas las mujeres poseemos un poco de testosterona; tras la menopausia, la testosterona empieza a influir más en el cuerpo femenino y por tanto también en los antojos. Además, a medida que avanzamos en edad empieza a ser prioritario ingerir proteínas para mantener la masa muscular, así como frutas y verduras para aportar nutrientes.

La terapia de restitución de hormonas, que es una fuente externa de aporte de estrógeno, estimulará de nuevo los antojos de azúcar y de grasa. Este tipo de terapia tiene muchas ventajas, pero es importante tener en cuenta cómo afectará a los antojos.

La rutina de alimentación óptima tiene sus repercusiones en los ciclos mensuales propios de los años premenopáusicos y perimenopáusicos. Pero, independientemente del estatus menstrual, también se producen cambios anuales –influidos por las estaciones– en el apetito y en los antojos.

A medida que van saliendo a la luz nuevos datos sobre la relación entre los alimentos y el estado de ánimo, está cada vez más claro que casi todo puede explicarse por las variaciones en las sustancias químicas del cerebro. Los días más cortos del invierno afectan a muchas hormonas y sustancias químicas, incluidos los niveles de serotonina del cerebro. Cuanto más corto es el número de horas de luz diurna, menor es el nivel de serotonina del cerebro, más negativo el estado de ánimo y mayor el antojo de carbohidratos para equilibrar las sustancias químicas del cerebro y los ánimos.

meses de invierno → ↓ horas de luz → ↓ serotonina → ↓ ánimos → antojo de carbos

Las mujeres somos de por sí más sensibles a las variaciones de los niveles de serotonina del cerebro, de ahí que seamos seis veces más dadas que los hombres a experimentar el Desarreglo Afectivo Estacional (DAE), efecto extremo de los meses de invierno. Con el DAE, los cambios de humor son lo bastante severos como para interferir en nuestro funcionamiento diario porque los ritmos del organismo y del cerebro se descompensan en invierno y se reequilibran en verano. Sin embargo, los cambios estacionales pueden acusarse en diverso grado, y el menos intenso de todos es lo que llamamos «murria de invierno» o «morriña de invierno».

La luz ejerce un efecto positivo sobre la serotonina, de ahí que tengamos más energía, SPM y síntomas menopáusicos menos acusados, y menos antojos durante los meses de verano. En invierno, sin embargo, a medida que los días se acortan, bajan los niveles de serotonina, y nosotras nos sentimos más fatigadas y estresadas, así como acusamos más el SPM y los síntomas menopáusicos. Y tenemos más antojo de carbohidratos. De hecho, las investigaciones revelan que, por término medio, consumimos 500 calorías más al día en enero que en julio.

	Meses verano	**Meses invierno**
promedio horas de luz	14	10
niveles serotonina cerebro	aumentan	disminuyen
estado de ánimo	positivo	negativo
nivel de energía	en aumento	en descenso
SPM y síntomas menopáusicos	en descenso	en aumento
antojos de carbohidratos	en descenso	en aumento

Los antojos invernales de carbohidratos son un mensaje instintivo para equilibrar los niveles de serotonina que la oscuridad ha alterado. En consonancia con el mensaje de este libro *¡confíe en ellos y satisfágalos!*

Además de satisfacer los antojos de carbohidratos, hay otras maneras de cuidarse durante los meses de invierno. ¿Qué tal proyectar cada invierno un viaje a una zona de clima más soleado? No es mala idea, y se recomienda a menudo en el tratamiento del Desarreglo Afectivo Estacional. Otras sugerencias:

- Tratar de pasar por lo menos media hora cada día al aire libre en las horas de luz.
- Instalar una claraboya en casa.
- Trasladarse a vivir más cerca del Ecuador (¡no podía resistirme a ponerlo!)
- Recabar información sobre la terapia lumínica, un artefacto especial que arroja una luz muy intensa y que ha demostrado ser extremadamente eficaz en el tratamiento del Desarreglo Afectivo Estacional, reduciendo la depresión y mitigando la tensión premenstrual y menopáusica. Consúltelo con su médico.

En lo tocante a los cambios de humor y a los antojos de comida se sigue una pauta anual comprensible en función de la disminución de las horas de luz durante los meses de invierno. No es soprendente que también sigamos esa misma pauta en lo referente a ganar y perder peso. Sin duda usted ya la ha experimentado, de manera que no descubro nada nuevo si digo que pesamos más en los meses de invierno que en los de verano. La mayoría de las personas engorda una media de 3,5 kilos en el invierno. Para este invernal aumento de peso hay un cierto número de explicaciones posibles.

1. **La reacción de hibernación.** Biológicamente estamos preparados para aumentar las reservas de grasa de cara a los meses de invierno. ¿Estamos también programados para meternos en una cueva y dormir tres meses? Para quienes viven en climas muy fríos, puede haber necesidad de mantener el cuerpo caliente con el aislamiento que propicia la grasa de más, pero lo cierto es que en nuestros días contamos con la ayuda de las prendas de abrigo, la calefacción y las chimeneas.
2. **La teoría de las calorías procedentes de los carbohidratos.** Debido a que tenemos más antojo de carbohidratos para equilibrar la serotonina, ingerimos más calorías y aumentamos de peso. Pero si respondemos de inmediato a esos antojos con una pequeña cantidad en el momento en que tenemos hambre, los antojos de carbohidratos no deberían traducirse en un aumento de peso. Si por el contrario no respondemos a ellos, el resultado final es que comemos de más, y de ahí el aumento de peso. Esta teoría solamente es cierta si no respondemos a nuestras necesidades instintivas de comida.
3. **El factor fiestas de Navidad.** ¿Se trata de la reacción de hibernación, de la teoría de los carbohidratos... o del mes y medio que pasamos de celebración en celebración con familia y amigos, sentados a la mesa comiendo y bebiendo sin parar, y olvidándonos del ejercicio? Este aumento invernal de casi cuatro kilos de peso se produce entre los primeros días de diciembre y Reyes. Durante estas fechas comemos más, hacemos menos ejercicio... y nuestras células de grasa tienen aún más motivos de celebración que nosotras mismas. Yo voto por esta teoría.

El Plan **ON** la ayudará a no aumentar de peso en invierno y a mitigar los efectos de los cambios estacionales sobre el estado de ánimo y la energía. **La rutina de alimentación óptima anticipa las variaciones en las sustancias químicas cerebrales y equilibra los ritmos antes de que produzca desequilibrio alguno.**

Además de estos cambios de ritmo diarios, mensuales y anuales, hay otros factores que pueden alterar los ritmos, desajustar el cuerpo y desquiciar el cerebro. Igual que un piano necesita ser afinado cada año, o un coche necesita una puesta a punto cada tantos kilómetros, a veces el cerebro está sometido a tanta tensión que, también él, necesita una puesta a punto.

Cuando el cerebro está en tensión

–¿Qué quieres decir con *cuando*? Mi cerebro *siempre* está bajo tensión, desde el momento en que me levanto hasta el momento en que me acuesto. Vivo sola con mis tres hijos, estudio por las noches para sacar un máster y trabajo la jornada completa.

Para muchas de nosotras, la tensión cerebral es un hecho muy común. La mera vida cotidiana puede provocarla. La tensión cerebral se da cuando alguna fuerza externa altera el equilibrio del organismo y los ritmos biológicos. En el caso de las mujeres, las dos causas principales de la tensión cerebral son el estrés excesivo y la falta de sueño.

Cada una de estas circunstancias afecta al equilibrio de las sustancias químicas del cerebro y por tanto, al de nuestra vida. Ambas pueden hacer que nuestros antojos sean más fuertes y más frecuentes, pero aún en estas ocasiones podemos utilizar los ali-

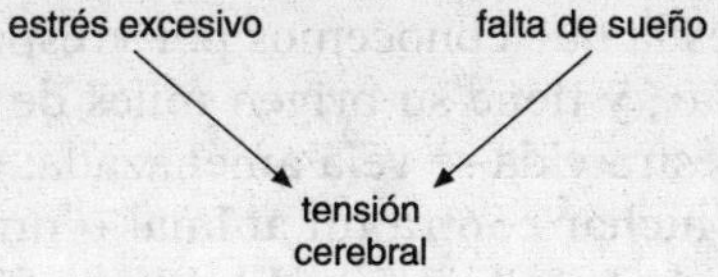

mentos para equilibrar el cerebro y sincronizar los ritmos.

El estrés: un quebradero de cabeza

Sobre el estrés se han escrito cientos de libros; la mayoría de ellos o bien resaltan los efectos negativos del estrés en las enfermedades cardiovasculares y en otras dolencias, o bien hablan de cómo afrontar eficazmente el estrés. Pues bien, una ventaja añadida del Plan **ON** es que es una técnica altamente eficaz para manejar el estrés.

Desgraciadamente, cuando estamos estresadas, olvidamos con facilidad nuestro propósito de comer saludablemente, agobiadas por el montón de cosas que tenemos que hacer, los problemas que tenemos que resolver y otras exigencias. De repente, olvidamos lo importante que es satisfacer los antojos y comer las cinco comidas. Nos saltamos alguna, volvemos a recurrir a la comida rápida, confiamos de nuevo en el azúcar y la cafeína para seguir en marcha. Nuestro primer impulso es desechar el Plan **ON**... **¡NO LO HAGA!** Deje pasar ese impulso y comprométase más firmemente a continuar con él.

Para explicar concienzudamente por qué el Plan **ON** es especialmente importante para combatir el estrés, veamos primero cuál es la respuesta fisiológica del cuerpo ante el estrés y cómo afecta a los ritmos.

El organismo está programado para salvarle la vida cuando usted se halla sometida al estrés. Esta respuesta es la que conocemos por «respuesta de lucha o huida», y tiene su origen miles de años atrás, cuando nuestra vida se veía amenazada: entonces se trataba de luchar contra un animal o un enemigo y salir huyendo a toda prisa. El cuerpo ayuda aportando más energía, concentración y fuerza en situaciones de amenaza. Es posible que usted no luche físicamente muy a menudo o que no tenga que salir huyendo de un tigre enfurecido, pero hoy en día reaccionamos igual ante un jefe enfurecido, un cónyuge apisonador, plazos de entrega matadores, atascos de tráfico insalvables o dificultades económicas aplastantes. Usted querría poder evadirse y huir de todo ello, pero generalmente no es una opción aceptable. Su cuerpo, sin embargo, todavía provoca cambios bioquímicos para salvar la vida, y lo que ayer era un mecanismo de protección, hoy es causa de problemas.

La adrenalina –hormona del estrés– desata una serie de reacciones para conseguir tres objetivos:

1. movilizar energía inmediata para tener fuerza y resistencia
2. aumentar la agudeza mental y acelerar el tiempo de reacción
3. impedir lesiones, pérdida de sangre y muerte

Por si acaso usted necesita luchar o salir huyendo, se libera la glucosa almacenada en los músculos y el hígado, y la sangre se dirige a los principales grupos musculares. El corazón se acelera y aumenta la presión sanguínea, la respiración también se acelera, y la glucosa de la sangre aumenta. Ahora los músculos y el sistema cardiovascular están totalmente preparados para presentar lucha o salir huyendo.

El cerebro también se prepara para ayudarla a concentrarse en la situación amenazante e incrementa su suministro de glucosa y de sustancias químicas para que usted esté más alerta al entorno, pendiente de lo que la rodea y con el pensamiento claro.

Por si los músculos y el cerebro no la protegen completamente, el mecanismo final del cuerpo para sobrevivir es impedir la muerte por heridas y pérdida de sangre. Entonces se liberan factores coagulantes para mitigar la pérdida de sangre en caso de que se produjera una herida.

Cuando la situación estresante ha finalizado, el cuerpo entra en una fase de recuperación y mientras éste trata de recuperarse, todas las variables van en disminución.

disminución del azúcar de la sangre
disminución del suministro de glucosa al cerebro
disminución de las sustancias químicas del cerebro

En este período de recuperación es cuando usted experimenta abrumadoramente la fatiga, los cambios de humor, la falta de concentración, y la necesidad de dormir. Es también cuando aparecen los antojos. Las sustancias químicas del cerebro están disminuidas, los músculos quieren reabastecer sus reservas de glucosa, y el azúcar de la sangre está bajo. No es de extrañar que la mayoría de la gente diga que tiene antojo de azúcar cuando ha estado sometida a estrés. El cuerpo percibe el azúcar como un factor de rápida recuperación del estrés.

La mayor situación de estrés que yo he vivido fue en el incendio de Oakland Hills. Las llamas alcanzaban una altura impresionante, teníamos el fuego a un kilómetro de casa y no había ningún camión de bomberos a la vista; doy gracias a Dios por la capacidad de responder al estrés.

Aunque soy esa clase de persona que perdería la sangre fría en una emergencia, mi cerebro y mi cuerpo se hicieron cargo de mí y de todo aquello que había que hacer. Mi mente se concentraba en reunir pertenencias irreemplazables, muy queridas (y en recordar dónde estaban). Mi cuerpo tenía la fuerza y la resistencia necesarias para moverse con rapidez, llenar el coche hasta arriba y salir huyendo. Cuando todo pasó y ya estábamos a salvo en casa de unos amigos (fuimos de los pocos afortunados cuya casa salió indemne), entré en la fase de recuperación. Las emociones salieron a la luz. Apenas podía recordar mi nombre, quería azúcar y quería caer en un profundo sueño. Pero durante el incendio, cuando tuve necesidad de todas mis facultades, esa respuesta al estrés hizo que trabajara al cien por cien de eficacia.

Puede haber ocasiones parecidas en que necesitemos de esta respuesta porque nos hace guerreros. El problema es que esta respuesta no distingue situaciones. Quizá necesitemos de los cambios positivos que genera en el cerebro, pero no de los cambios musculares ni cardiovasculares... y ahí es donde el Plan **ON** es particularmente efectivo.

El Plan **ON** llama a la calma, la relajación y la estabilidad anímica tanto en la respuesta al estrés como en la fase de recuperación. Lo ideal sería eliminar las causas del estrés: cambiar de ocupación y buscar otra que no estrese tanto. ¿Ha pensado alguna vez en hacerse jardinera o bibliotecaria? O quizá irse a vivir a un país menos estresado. ¿Ha pensado alguna vez en irse a vivir a Francia? O desprenderse de algunas responsabilidades. ¿Ha pensado alguna vez en esconderse una semana en una cueva? Atajar la causa del estrés es lo más efectivo, pero no siempre es lo realista. La rutina de alimentación óptima es una solución realista y efectiva que se puede aplicar cada día.

Un cierto grado de estrés es necesario para ponernos en marcha por la mañana. Si no tuviéramos cosas que hacer, objetivos que alcanzar o desafíos que afrontar, no tendríamos ganas de salir de la cama. La realidad es que un cierto grado de estrés es positivo; demasiado estrés es negativo. La línea divisoria entre ambos grados varía en cada caso. Es como un violín: si las cuerdas están demasiado flojas, no suena bien; si las cuerdas están demasiado tensas, pueden romperse. Cuando usted se pone muy tensa, está en un estado de ansiedad que le impide dormir bien por la noche.

Falta de sueño: el cerebro necesita una buena noche de sueño reparador

De vez en cuando todos hemos pasado por algún período de falta de sueño, y en algunos casos, puede ser permanente. Ha hecho un vuelo transoceánico, hay un recién nacido en casa, está estudiando para un examen, se ha quedado a trabajar por la noche, trabaja en el turno de noche o intenta cumplir el plazo de entrega de un manuscrito (como me pasa a mí ahora mismo). O tiene una alteración del sueño que le crea falta crónica de sueño.

Si ya conoce la falta de sueño, también habrá experimentado sus efectos negativos sobre el estado de ánimo, la concentración, el nivel de energía, la capacidad de reacción, los antojos y el bienestar general.

El ciclo del sueño/vigilia es el más importante de todos los ritmos biológicos. Sincroniza todos y cada uno de los sistemas del organismo, incluido el cerebro. Si se altera este ciclo, también se alteran la función y los niveles de sustancias químicas del cerebro.

No es sorprendente que las mujeres sean tres veces más proclives que los hombres a padecer de insomnio y de otras perturbaciones relacionadas con el sueño. Una de las más importantes sustancias químicas del cerebro inductoras del sueño no es otra que la serotonina, y como ya hemos venido diciendo repetidamente en este libro, las mujeres somos más sensibles a los descensos de serotonina. De ahí que a diario experimentemos antojos de comida, cambios mensuales y estacionales, y antojos de azúcar relacionados con el estrés. Por esta misma razón, las dificultades para conciliar el sueño son todavía más acusadas en los días previos a la menstruación y durante la menopausia. El descenso de estrógeno afecta al ciclo del sueño, y nos hace transpirar de tal manera que podemos despertar bañadas en sudor.

–¿En qué quedamos? ¿La serotonina favorece un buen estado de ánimo o da sueño?

Es desconcertante, sí, porque la serotonina del día es diferente que la de la noche. Durante el día la serotonina, cuando está equilibrada, nos mantiene en calma, productivas y energizadas, pero la serotonina que se libera por la noche da la señal de que es hora de dormir, y es la que nos manda a la cama.

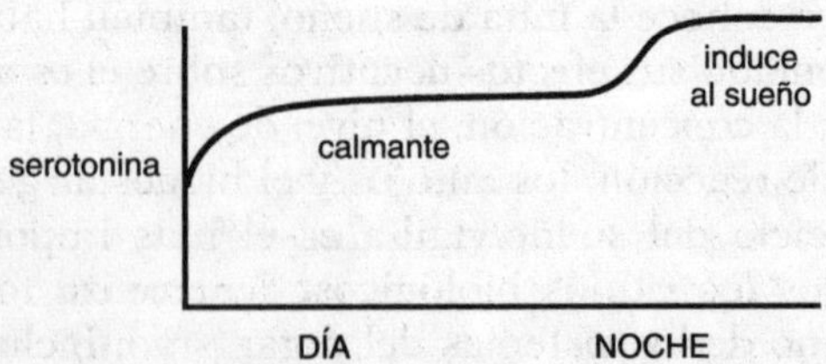

Dormir repara el cuerpo y la mente, y mantiene sincronizados los ritmos diarios. La falta de sueño descompensa los ritmos y usted puede sentir más antojos de azúcar, grasa y chocolate, mientras el cuerpo intenta recuperar su funcionamiento óptimo de cada día. En estas ocasiones es aún más importante seguir el Plan **ON**, comer cinco veces e ingerir sobre todo féculas.

El sueño parece ser más importante para el cerebro que para el cuerpo. Cuando usted no duerme lo suficiente, las neuronas privadas de sueño seguirían durmiendo después de sonar el despertador porque aún están soñando, tienen dificultades para coordinar la función motora cuando usted salta de la cama y pueden tardar aproximadamente una hora en estar plenamente alerta y en funcionamiento. Así pues, ¿usted qué hace? Engulle cafeína y azúcar para reavivar rápidamente el cerebro, y eso le da una falsa sensación de vigilia que no dura mucho. En cuestión de una hora, el cerebro le estará pidiendo una siesta.

Y hablando de siestas, pueden ser reparadoras si usted anda falta de sueño siempre que no duerma más de hora y media. Las siestas demasiado prolongadas afectan al sueño de esa noche, lo que se traducirá en falta de sueño al día siguiente.

No se puede vivir sin dormir, pero nadie ha muerto nunca por falta de sueño. El cuerpo no lo permitiría. De todas las necesidades básicas de la vida, la del sueño es la más importante. Se puede morir por falta de comida, por falta de agua, por falta de oxígeno, pero antes de que pudiéramos morir por falta de sueño, el cuerpo cedería a la necesidad.

¿Cuántas horas necesita dormir usted por la noche? ¿Cuántos días a la semana duerme esas horas?

Algunos somos de poco dormir y necesitamos

menos de seis horas de sueño, y otros son muy dormilones y necesitan más de ocho horas de sueño. Algunos somos personas de día, nos levantamos temprano y nos vamos pronto a la cama; otras son personas nocturnas, se levantan tarde y se acuestan tarde. El tipo de persona que usted sea, y el número de horas de sueño que necesite dependen de su reloj biológico.

Una de las mejores cosas que hay para cuidarse es una buena noche de sueño reparador. Al día siguiente, los ritmos estarán más sincronizados y los antojos serán más manejables.

Si le gustaría dormir pero no puede por culpa del insomnio o las transpiraciones nocturnas, o porque se despierta con frecuencia durante la noche, el Plan **ON** le ayudará. Equilibrará las sustancias químicas del cerebro durante el día, de modo que los ritmos la inducirán naturalmente al sueño por la noche. La alimentación sana para dormir bien es la que usted sigue con su rutina óptima: abastecer al cuerpo durante el día y alimentarlo poco por la noche, equilibrar la serotonina durante el día para que le ayude a conciliar el sueño por la noche.

Además, hay remedios que algunas personas encuentran buenos para dormir:

- un vaso de leche tibia antes de irse a la cama; se cree que el calcio es un mineral relajante
- unos cuantos crackers o un trozo de pan con mermelada; algo de serotonina añadida puede ayudar
- una infusión de hierbas con miel; hay un viejo proverbio chino que dice: «la miel endulza el sueño»
- un baño caliente y prolongado media hora antes de irse a dormir

- relajación progresiva; ayuda a quedarse dormido más rápidamente

Sea cual sea la causa de la tensión cerebral, falta de sueño o estrés crónico, el Plan **ON** puede trabajar en su provecho ayudándola a recomponer el cuerpo.

Las culturas famosas por su longevidad y elevada proporción de personas centenarias (personas que viven más de cien años) han sido objeto de estudio para descubrir los secretos de su «fuente de la juventud». Una cosa común a todas estas culturas es que siguen una rutina diaria de la que rara vez se apartan. Se levantan cada día a la misma hora, toman desayunos y comidas abundantes, nunca se saltan ninguna comida, permanecen activos las mismas horas cada día y se van a dormir cuando están cansados. Su vida no está privada de grasa, azúcar, chocolate ni alcohol, pero los consumen en cantidades moderadas. Ni se quedan cortos ni se exceden.

Siguen una rutina predecible y regulada por su horario biológico, no por sus ocupaciones o por la agenda diaria. No prometo que viva cien años, pero el Plan **ON** la ayudará a llevar una rutina de alimentación que se ajuste a los ritmos y sea óptima para la longevidad y el estado de salud general.

Ahora que tiene los conocimientos y destrezas necesarias para seguir su rutina de alimentación óptima, evaluemos sus progresos a lo largo de estas cinco semanas.

Semana 5: Plan de evaluaciÓN

¿Qué ha hecho el Plan **ON** por usted? ¿Ha conectado con su apetito, sus antojos femeninos, el ánimo positivo y el bienestar?

No espero que en estas cinco semanas domine por completo el Plan **ON**. Sin embargo, sí espero que haya empezado a satisfacer sus antojos de comida y comenzado a notar sus efectos benefactores. Espero que haya empezado a permitir que su intuición femenina en lo relativo a la alimentación la guíe hacia su rutina de alimentación óptima, y que haya empleado esa intuición cada día, cada mes, y cada vez que sus ritmos naturales hayan sufrido alguna alteración.

En el capítulo 3, usted rellenó unos cuestionarios sobre cada una de las fases del Plan **ON** para valorar sus actitudes y hábitos antes de emprenderlo. En las páginas siguientes están esos mismos cuestionarios para que los responda otra vez. Sin consultar los anteriores (no vale hacer trampas, por favor) puntúe las afirmaciones que contienen y después vuelva al capítulo 3 para comparar las puntuaciones obtenidas.

FASE 1: CONFÍE EN SUS ANTOJOS

Puntúe cada respuesta como sigue:

0 – nunca
1 – raras veces
2 – con frecuencia
3 – siempre

1. Intento rechazar mis antojos ____________
2. Me pongo a dieta para perder peso ____________
3. En cuanto empiezo a comer, me cuesta parar ____________
4. Si satisfago mis antojos, tengo miedo de engordar ____________
5. Si satisfago mis antojos, me preocupa que mi dieta no sea sana ____________
6. Califico a los alimentos de «buenos» o de «malos» ____________
7. Me siento culpable después de comer aquello de lo que tengo antojo ____________
8. Como aquellos alimentos que me proporcionan placer cuando nadie me ve ____________
9. Siento que me faltan fuerza de voluntad y disciplina ____________
10. Como por motivos emocionales ____________

TOTAL ____________

FASE 2: DESCUBRA LOS ALIMENTOS QUE LE PROPORCIONAN PLACER

Puntúe cada respuesta como sigue:

0 – nunca
1 – raras veces
2 – con frecuencia
3 – siempre

1. Restrinjo el chocolate en mi dieta ____________
2. Restrinjo el azúcar en mi dieta ____________
3. Restrinjo las féculas en mi dieta ____________
4. Restrinjo las grasas en mi dieta ____________
5. Restrinjo la sal en mi dieta ____________
6. Creo que los carbohidratos engordan ____________
7. Intento buscar sucedáneos «más sanos» para mis antojos ____________
8. Tomo azúcar para recomponerme rápido ____________
9. Intento seguir una dieta muy baja en azúcar ____________
10. Intento seguir una dieta muy baja en grasas ____________

TOTAL ____________

FASE 3: APRENDA A COMER BUSCANDO LA MÁXIMA SATISFACCIÓN

Puntúe cada respuesta como sigue:

0 – nunca
1 – raras veces
2 – con frecuencia
3 – siempre

1. Como deprisa __________
2. Apenas mastico la comida __________
3. Como de pie __________
4. Como sin darme cuenta __________
5. Como inmoderadamente aquellos alimentos de los que tengo antojo __________
6. Rebaño el plato __________
7. Mis comidas son a base de proteínas, fécula, ensalada y verdura __________
8. Utilizo educorantes artificiales __________
9. Compro alimentos «no grasos» __________
10. La comida no me satisface __________

TOTAL __________

FASE 4: DISTRIBUYA LAS COMIDAS PARA CONSEGUIR EL MEJOR ESTADO DE ÁNIMO POSIBLE

Puntúe cada respuesta como sigue:

0 – nunca
1 – raras veces
2 – con frecuencia
3 – siempre

1. Me salto el desayuno	________
2. Me salto la comida	________
3. La comida más copiosa que tomo es la cena	________
4. Mis antojos son más fuertes por la noche	________
5. Ceno más tarde de las 21 horas	________
6. Creo que picar es «malo»	________
7. Como tres veces (o menos) al día	________
8. Pico algo antes de irme a la cama	________
9. Bebo más de dos tazas de café al día	________
10. No tengo tiempo para comer tranquilamente a mediodía	________
TOTAL	________

FASE 5: SIGA SU RUTINA DE ALIMENTACIÓN ÓPTIMA

Puntúe cada respuesta como sigue:

0 – nunca
1 – raras veces
2 – con frecuencia
3 – siempre

1. Cada día tengo cambios de humor __________
2. Me siento muy fatigada __________
3. A las 3.30 de la tarde tengo un bajón __________
4. Durante los meses de invierno estoy deprimida __________
5. Tengo dificultades para conciliar el sueño por las noches __________
6. Tengo SPM o tensión menopáusica __________
7. Durante los meses de invierno tengo antojo de más alimentos __________
8. Tengo antojo de más alimentos durante los días previos a la menstruación o durante la menopausia __________
9. Como más azúcar y grasas cuando estoy estresada __________
10. Tengo dificultades para controlar mi peso __________

TOTAL __________

	Puntuación actual	Puntuación anterior
Fase 1: Confíe en sus antojos	________	________
Fase 2: Descubra los alimentos que le proporcionan placer	________	________
Fase 3: Aprenda a comer buscando la máxima satisfacción	________	________
Fase 4: Distribuya las comidas para conseguir el mejor estado de ánimo posible	________	________
Fase 5: Siga su rutina de alimentación óptima	________	________
PUNTUACIÓN TOTAL	________	________
DIFERENCIA	________	

¿En qué fases ha experimentado mayores cambios? ¿Cuáles requerirán más atención en las próximas semanas?

No importa cuánto haya cambiado. Lo que importa es que está usted en el buen camino. El objetivo no es reducir todas las puntuaciones a cero; ¡no hay puntuaciones perfectas en el Plan **ON**!

El objetivo es continuar con el Plan **ON** otras cinco semanas y el resto de su vida. Siga llevando los registros de comidas de la Fase 4 siempre que los encuentre útiles... y lea los dos últimos capítulos. ¡Son los que dan el toque final!

9

EL EJERCICIO EN EL PLAN ON: LA FÓRMULA PARA ESTAR EN FORMA

Si le dijeran que recientemente se ha hecho un descubrimiento médico definitivo para las mujeres, que suavizara los antojos de azúcar y grasas, redujera la depresión, hiciera manejable el estrés, minimizara los síntomas del SPM y la tensión menopáusica, mitigara las dificultades para conciliar el sueño, estabilizara los ánimos y garantizara una pérdida permanente de peso sin tomar pastillas, sin efectos secundarios y sin desembolso, ¿no se procuraría usted esa cura definitiva? Pues bien, no hay que buscar muy lejos. Esta solución médica es el ejercicio.

El libro está más que mediado y usted tal vez esperaba que no tratáramos específicamente de ejercicio o que no la alentara a practicarlo. En los capítulos previos he mencionado un par de veces que el ejercicio tiene un efecto liberador de endorfinas, pero es que es tan importante para el estado de ánimo, la mente y el organismo femeninos que decididamente merece un capítulo entero, un capítulo que no solamente hable de generalidades, sino que reconozca las necesidades especiales de las mujeres en cuanto al ejercicio.

Las mujeres tenemos una fisiología única, unas tercas células de grasa y una química cerebral avanzada; por consiguiente, necesitamos un programa de ejercicios concebido especialmente para nosotras. Necesitamos una *rutina de ejercicios óptima* que complemente nuestra *rutina de alimentación óptima...* y esa rutina de ejercicios óptima es el Plan de Ejercicio **ON**. Conectará así con un estado de ánimo positivo, con la energía productiva, con su metabolismo de mujer y con un peso sano.

Como muchas de mis clientes, quizá haya «probado» a hacer ejercicio unas cuantas veces y llegado a la conclusión de que no le da ningún resultado. Cada vez que Marypat emprendía un programa de ejercicios ganaba peso, se sentía más fatigada y tenía antojos más fuertes hasta que empezó a seguir el Plan de Ejercicios **ON** y se sintió de mejor ánimo, con menos antojos y menos kilos.

Si ha intentado hacer ejercicio y ha fracasado piense que **usted no le ha fallado al programa de ejercicios, sino que el programa de ejercicios le ha fallado a usted** porque no se adecuaba a la fisiología femenina. El programa no era una fórmula para la buena forma femenina. En lo que al ejercicio se refiere todas las investigaciones se centran en la manera de favorecer el rendimiento físico de los atletas de competición o en cómo reducir el riesgo de enfermedades cardiovasculares en los hombres, pero se ha investigado poco en un tipo de ejercicio que sea beneficioso para el bienestar físico y mental de las mujeres.

O quizá es que el programa de ejercicios que probó no dio resultado porque se parecía demasiado a una dieta. Si su determinación de hacer ejercicio empezó con una proclamación del estilo de «el lunes empiezo un plan de ejercicios para reducir peso, y voy a hacerlo cada día para adelgazar cinco kilos en un mes», estaba sentenciada desde el principio. Fisiológicamente, el cuerpo femenino no responderá bien a un programa de ejercicios hiperfervoroso.

A los pocos días de llevar un régimen de ejercicios extenuante, las células de grasa comenzarán a combatir todo esfuerzo: «Eh, ¿qué pasa aquí? Ella no hace más que quemar cientos de calorías cada día en ese gimnasio de la esquina. No nos importaría desprendernos de un poco de esa preciosa grasa que tenemos guardada, pero es que nos la quiere quitar por la fuerza. Lo sentimos, imposible, podríamos necesitar la grasa para una emergencia. ¿Qué pasa si esta noche se queda embarazada *y* mañana hubiera absoluta escasez de alimentos? Cerremos las puertas, atranquemos las ventanas; mantendremos esas reservas de grasa como rehenes por mucho ejercicio que haga.»

El exceso de ejercicio provoca una respuesta de inanición similar a la que se produce con las dietas de adelgazamiento. Las luces rojas de alarma dan la señal de emergencia, las células de grasa se ponen a hibernar, el metabolismo se retarda y se envían mensajes para que en lugar de grasa se utilice azúcar y músculo. Hay un término nuevo para designar a aquellos que hacen demasiado ejercicio: hipergimnasíacos.

He visto por lo menos un centenar de casos de mujeres que han hecho ejercicio dos horas diarias durante meses, pero que han apreciado pocos cambios, si había habido alguno, en el cuerpo, y por tanto piensan que son un fracaso incluso haciendo ejercicio. Ellas esperan oírme decir que hagan ejercicio más rato, más duramente y con más frecuencia. En vez de ello, les digo que hagan menos ejercicio, y se quedan anonadadas con el consejo. Haciendo ejercicio más moderadamente, evitarán que se produzca la respuesta de inanición y en cambio provocarán una respuesta de liberación de grasas y, por añadidura, beneficiosa para el estado de ánimo.

Afortunadamente las mujeres empezamos a cambiar las dietas de adelgazamiento por el ejercicio. En lugar de hacer un ayuno líquido, vamos a un gimnasio. Pero en contrapartida, muchas todavía tienen la mentalidad de «perder peso rápidamente» y se exceden con el ejercicio.

No es diferente de la dieta de adelgazamiento. Cuantas más calorías intenta quemar usted, más contundente será la respuesta de las células de grasa y menos peso perderá.

Si el programa de ejercicios que está haciendo no le da resultado, o bien es que se está excediendo o bien la posibilidad contraria: no hace bastante ejercicio. Ninguno de los dos extremos le aportará beneficio alguno. Igual que hay un término medio para la comida, también lo hay para el ejercicio... no todos los días pero tampoco una vez al mes. Usted ha descubierto su rutina de alimentación óptima con el Plan **ON**; ya es hora de que descubra su rutina de ejercicios óptima. A todas las mujeres nos da resultado hacer ejercicio siempre que se ajuste a las exigencias de nuestro cuerpo, y lo integremos de una manera realista en la vida cotidiana.

Dos son los objetivos principales:

1. estimular las sustancias químicas de las neuronas que mejoran el estado de ánimo
2. estimular la pérdida de grasas de las células de grasa

Con el Plan de Ejercicios **ON**, usted alcanzará simultáneamente ambos objetivos, haciéndose así acreedora a las asombrosas ventajas del ejercicio.

Estimulando la liberación de sustancias químicas en el cerebro, usted:

- mejorará su estado de ánimo
- atemperará sus antojos de azúcar y grasas
- sentirá antojo de alimentos más variados, y entre ellos las verduras y la fécula
- reducirá la tensión premenstrual y menopáusica, así como los antojos que suelen acompañar a ésta
- rebajará el estrés y reducirá los antojos inducidos por él
- ganará en energía y productividad
- mejorará la calidad del sueño

Estimulando la pérdida de grasa, usted:

- conseguirá un peso llevadero y realista
- reducirá grasa corporal
- impulsará el metabolismo
- moldeará la figura
- reducirá el riesgo de enfermedades relacionadas con el peso: corazón, cáncer y diabetes

Si piensa dedicar un tiempo precioso al ejercicio, quiero que sea beneficiaria de todas sus maravillosas ventajas. Hablemos primero de los efectos benefactores del ejercicio sobre el estado de ánimo.

Ejercicio, endorfinas y LSD

Es posible que usted ya sepa que el ejercicio libera endorfinas, esa sustancia que mejora el estado de ánimo, pero ¿cuál es ese tipo de ejercicio? ¿Cuánto? La respuesta es LSD. No la droga LSD (aunque espero haber captado su atención), sino el ejercicio LSD:

Larga
Sosegada
Distancia

Recorrer una larga, sosegada distancia favorece la liberación de endorfinas porque así se utilizan los músculos adecuados, los nervios adecuados y hace que el cuerpo duela con el tipo de dolor adecuado durante un espacio de tiempo adecuado. Las endorfinas son los analgésicos naturales del cuerpo y se liberan en el transcurso de experiencias dolorosas y prolongadas. Personalmente usted puede pensar que el ejercicio es un incordio, pero produce el tipo perfecto de dolor físico y duradero como para que el cerebro quiera liberar endorfinas, ayudando así a mitigar el dolor.

Digamos en un aparte que si no fuera por las mujeres, tal vez no existirían las endorfinas, esos analgésicos naturales. Algunos antropólogos creen que el género femenino fue el primero en producir estos opiáceos naturales. El parto es una experiencia maravillosa, pero también dolorosa. Durante el parto, se liberan 200 veces más endorfinas de lo normal para resistir el dolor horas enteras (en algunos casos son muchas, muchas horas). Hace miles de años no existían las epidurales ni los medicamentos, y la Madre Naturaleza miraba por nuestro bienestar con la liberación de endorfinas durante el parto. Usted podría objetar que la Madre Naturaleza podía haberse esmerado más porque el parto sigue siendo doloroso, pero imagine lo que sería sin endorfinas.

Volvamos al ejercicio. El ejercicio produce dolor físico en los músculos, articulaciones y sistema cardiovascular, pero es un dolor beneficioso porque el cuerpo se vuelve poco a poco más fuerte. Cuando usted está de paseo o monta en bicicleta, libera endorfinas por su efecto analgésico. Este analgésico es más efectivo si el dolor es resultado de un ejercicio prolongado y lento.

¿Cuánto ejercicio LSD se necesita para estimular la liberación de endorfina? Más que la recomendación normal de veinte minutos de ejercicio, tres veces por semana.

Si usted sale a andar veinte minutos a buen paso, se sentirá mejor, menos estresada y más energética; quizá atribuya estos cambios positivos a las endorfinas, pero la duración del ejercicio no ha sido la suficiente para estimular la necesidad de que se liberen endorfinas. Con toda probabilidad, usted se encuentra mejor porque se ha alejado del mundanal ruido, ha pasado un rato sola y ha liberado energía acumulada.

Con sólo veinte minutos de ejercicio, el cerebro piensa que usted sola puede arreglárselas muy bien con el dolor. Pero si continúa caminando otros veinte minutos a buen paso, el cerebro empezará a apiadarse de usted y le echará una mano liberando endorfinas. Haga una marcha larga y sosegada hasta donde den de sí por lo menos *cuarenta y cinco minutos, tres veces por semana.*

¿Cómo puede usted saber si libera endorfinas con el ejercicio?

Si lo pregunta, es que seguramente no las conoce. Se crea un estado alterado de consciencia perfectamente identificable; hay personas que incluso dicen tener visiones y alucinaciones. Una vez tuve una cliente que mientras hacía ejercicio veía elefantes rosas volando. Siempre me pregunté si el ejercicio era la única droga a la que estaba enganchada, pero las endorfinas son una potente droga parecida a la morfina, de manera que nunca se sabe.

Puede estar segura de que libera endorfinas cuando:

- De repente, siente renovarse la energía física y le parece que puede seguir haciendo ejercicio durante horas.
- Tiene la sensación de que flota y parece que los pies apenas rozan el suelo.
- Los sentidos se estimulan con facilidad; los colores parecen más vivos, la vista y el oído se agudizan.
- Le asaltan pensamientos creativos, ideas inspiradoras y soluciones ingeniosas.

Y, quizá lo más importante: tras el ejercicio nota cambios perceptibles en el estado de ánimo, el nivel de energía, la productividad y los antojos.

De la encuesta que realicé se concluye que aquellas mujeres que hacían ejercicio regularmente tenían menos antojos porque la liberación de endorfinas inducida por el ejercicio sustituía a la liberación de endorfinas inducida por los alimentos. Comparadas con las mujeres sedentarias, las que hacían ejercicio con regularidad tenían:

- 39 % menos de antojos de grasa
- 32 % menos de antojos de chocolate
- 22 % menos de antojos de azúcar

El ejercicio estabiliza los niveles de azúcar de la sangre y origina los mismos cambios en las sustancias químicas del cerebro que los alimentos ricos en grasa y/o azúcar. Cuando el nivel de endorfina del cerebro se ve aumentado gracias a la práctica regular del ejercicio LSD, ya no hay necesidad de enviar señales de antojo tan frecuentes y tan irresistibles. **Quizá hay un sucedáneo de chocolate que sí es satisfactorio... ¡el ejercicio!**

Esto explica una observación bien documentada: que el ejercicio regular propicia un tránsito natural y positivo hacia el cambio de hábitos alimentarios. Cuando la gente empieza a cuidar de su cuerpo mediante un programa de ejercicio, empieza a cuidarse en otros ámbitos. Se siente tan bien gracias a la liberación de endorfinas y otros efectos beneficiosos del ejercicio, que desea responder a las necesidades de su cuerpo. De mi estudio se desprende que las mujeres que practican el ejercicio regularmente son:

- 50 % más proclives a comer cinco minicomidas.
- 34 % más proclives a tener antojo de verdura.
- 50 % menos proclives a consumir grasas y edulcorantes artificiales.
- 32 % menos proclives a excederse comiendo aquellos alimentos de los que sienten antojo.

En otras palabras, las mujeres que hacen ejercicio regularmente empiezan automáticamente a seguir las fases del Plan **ON**, y la combinación de una rutina de ejercicio óptima con una rutina de alimentación óptima mejora su estado de ánimo y aumenta su energía. Además, son:

- 54 % menos proclives a quejarse de fatiga diaria.
- 49 % menos proclives a la depresión.
- 37 % menos proclives a alteraciones de humor.
- 20 % menos proclives a tener dificultades para conciliar el sueño.
- 20 % menos proclives a comer inducidas por el estrés.

Con todos los estudios que he compilado y analizado sobre los efectos beneficiosos del ejercicio en el estado de ánimo, hay una historia que cuenta mi cuñado (una y otra vez) que de repente cobra pleno sentido. Trata de un hombre que estaba estresado, deprimido, pesaba muchos kilos de más, tenía insomnio, bebía mucho y le iban mal las cosas en casa y en el trabajo, de modo que decidió suicidarse corriendo hasta morir. Aquella tarde, corrió tanto y tan lejos como pudo, pero para su decepción no murió. Así pues, al día siguiente intentó suicidarse volviendo a correr, pero tampoco dio resultado. Lo intentó seis semanas seguidas y de repente se sintió tan bien que decidió vivir.

Comprometerse con el Plan de Ejercicio **ON** le hará sentir de maravilla y vivir la vida al máximo. Sin embargo, si tiene antojos fuertes y su cerebro se ha visto sometido a una tensión considerable por que está en los días previos a la menstruación, o tiene la morriña de invierno, estrés o falta de sueño, sería útil que realizara los ejercicios en el momento adecuado para que la rutina del cuerpo vuelva a su cauce.

Si los peores antojos se producen por la tarde (que es el caso de la mayoría de las mujeres), programe hacer ejercicio entre las 11.00 y las 15.00 horas. Esta rutina propiciará que las sustancias químicas del cerebro aumenten cuando usted más las necesite y que se reduzca la necesidad de comer para estabilizar el humor por la tarde.

Si los peores antojos los tiene por la noche, programe el ejercicio entre las 15.00 y las 19.00 horas, por las mismas razones de antes. El ejercicio a última hora de la tarde también parece ser el mejor para dormir bien.

–Yo tengo problemas con la comida el día entero. ¿Debería hacer ejercicio mañana, tarde y noche?

Si no puede identificar un momento concreto del día en el que el ejercicio sea más beneficioso, hágalo cualquier otro rato. Si no tiene tiempo para integrar la práctica del ejercicio, entonces debe reevaluar sus prioridades. Tiene que tener la perseverancia de encontrar el tiempo necesario. El ejercicio es demasiado importante como para no hacerlo.

Si no puede hacer coincidir los ejercicios con ese margen de horas que sirve para contener después los antojos, no tema. A la larga, es beneficioso hacer ejercicio en cualquier momento del día. Con ello aumentará el nivel de base de las endorfinas, los antojos de fécula y verduras se impondrán más, y refrenará el antojo de alimentos ricos en grasas y/o azúcar. **Lo más importante es que haga 45 minutos de ejercicio, tres veces por semana.** Si tiene tiempo para hacerlo cuatro o cinco veces a la semana ¡hágalo, por favor! Pero no cada día; el cerebro, los músculos, las articulaciones y el corazón también necesitan descanso. Descansar es una manera de cuidarse.

Recuerde: las marchas largas y sosegadas liberan endorfinas, refrenan los antojos y elevan los ánimos porque el dolor que producen en el cuerpo es el adecuado. Aunque personalmente no comparto el lema «sin dolor, no hay avance», lo cierto es que algo de verdad encierra, siempre y cuando usted no se exceda con el ejercicio ni por tanto con el dolor. Para las mujeres, si el ejercicio es muy duro o muy doloroso, el lema se convierte en: «sin dolor, no hay avance ni tampoco pérdida de peso».

La fórmula para quemar las grasas femeninas

Hasta aquí usted ha aprendido a tener en cuenta el apetito y los antojos femeninos a fin de conseguir una solución de óptima nutrición para la mente y el cuerpo. En este capítulo ha aprendido a tener en cuenta el cerebro y el cuerpo femeninos a fin de lograr –en cuanto al ejercicio– la solución óptima para su salud mental. Ahora vamos con algunos consejos sobre las células de grasa femeninas a fin de conseguir que el ejercicio sea una solución óptima para perder peso permanentemente.

Aunque desearía que la salud fuera la motivación primordial de las mujeres para hacer ejercicio, no es así; lo son la pérdida de peso y el aspecto físico. De modo que vamos a aprovechar estas motivaciones. El ejercicio es la mejor y más eficaz estrategia para perder peso, moldear el cuerpo, eliminar grupa y «cartucheras» y mejorar la autoimagen.

Si piensa dedicar tiempo al ejercicio quiero que lo haga con todas las garantías. La forma LSD de ejercicio la ayudará a alcanzarlo todo: pérdida de peso, salud mental y salud física. Si corre durante veinte minutos al límite de sus fuerzas, ya no es ejercicio LSD. Así no liberará usted muchas endorfinas en el cerebro ni tampoco mucha grasa.

Pero si en cambio camina 45 minutos a buen paso, estimulará al máximo la emisión de endorfinas y la liberación de grasa.

Como ya hemos comentado al inicio de este capítulo, el exceso de ejercicio es contraproducente para la fisiología femenina, y que cuando las células de grasa se sienten amenazadas, se vuelven combativas. Tiene que irlas apaciguando para que acepten el ejercicio y apenas se den cuenta de lo que pasa.

Cuando al principio usted comience a caminar (o ir en bicicleta o nadar), las obstinadas células de grasa dirán: «Perdona, ¿qué estás haciendo? Detectamos cierto ejercicio aeróbico y sabemos exactamente qué pretendes. Lo siento, estamos hechas para guardar grasa, no para regalarla: no cederemos.» Al continuar con la marcha, las células de grasa se rendirán al fin: «De acuerdo, ya llevas 30 minutos con esto y no es ni demasiado arduo ni demasiado amenazante. Dejaremos ir un poco de grasa, pero no mucha ni durante mucho rato.»

La marcha prolongada y a buen paso es clave para que las mujeres liberemos endorfinas y grasa. De hecho, el ejercicio LSD es la *única* manera de estimular la liberación de grasa. No hay ningún alimento, bebida, crema, píldora, poción, ungüento, artilugio o aparato que reduzca las células de grasa. Solamente lo hace el ejercicio prolongado y moderado. Quizá esperaba usted algo un poco más excitante del tipo de: «Coma chocolate y subyugue para siempre las células de grasa.» Lo siento, aunque le viene bien al título de este libro y el chocolate hace maravillas con la mente femenina... no ayuda a quemar grasas. La clave está en el ejercicio, y hay algunas recomendaciones especiales para quemar la grasa femenina.

Ejercicios recomendados para quemar grasas

1. **Optar por un ejercicio aeróbico, cualquier ejercicio aeróbico.** Aeróbico significa «con oxígeno»; es necesario que mientras se hace ejercicio el aporte de oxígeno sea el suficiente para estimular a las enzimas liberadoras de grasas. Este tipo de ejercicio emplea los grandes grupos musculares (nalgas y muslos) de forma rítmica e incesante, y acelera la respiración y la transferencia de oxígeno (O_2 = oxígeno) a las células.

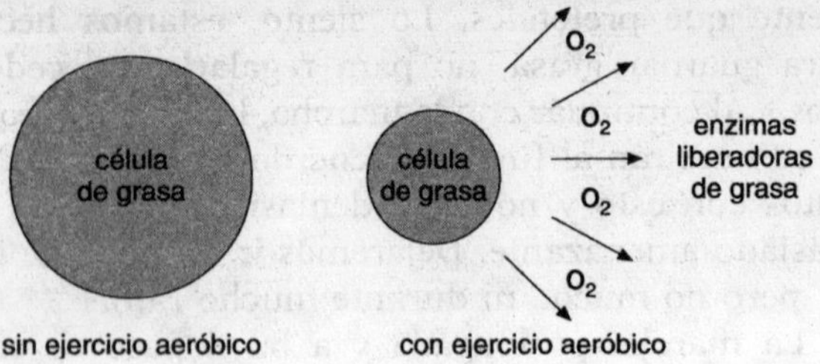

Ya se trate de andar, ir en bicicleta, hacer jogging, nadar, remar, esquí de travesía, o clases de aerobic, todos los ejercicios aeróbicos tienen una base similar y estimulan a las enzimas liberadoras de grasa. Los ejercicios anaeróbicos (sin oxígeno) como el tenis, el levantamiento de pesas y el golf consisten en parar/reanudar movimientos, y no mantienen la respiración lo suficientemente acelerada. Sin embargo, tonifican los músculos y aceleran el metabolismo, de modo que si usted disfruta con ello, no lo deje; bastará con que agregue algunos ejercicios aeróbicos.

2. **Haga ejercicio con moderada intensidad y no se quede bajo ningún concepto sin aliento.** Puesto que un aporte suficiente de oxígeno es necesario para estimular a las enzimas liberadoras de grasa, la aceleración de la respiración y la transferencia de oxígeno son extremadamente importantes. El ritmo de la respiración tiene que incrementarse, pero si usted va jadeando y resoplando, es que el ejercicio es demasiado duro y la demanda de oxígeno no puede satisfacerse mediante la respiración. Resultado: las células de grasa se sienten amenazadas y el cuerpo gasta azúcar y músculo en lugar de grasa.

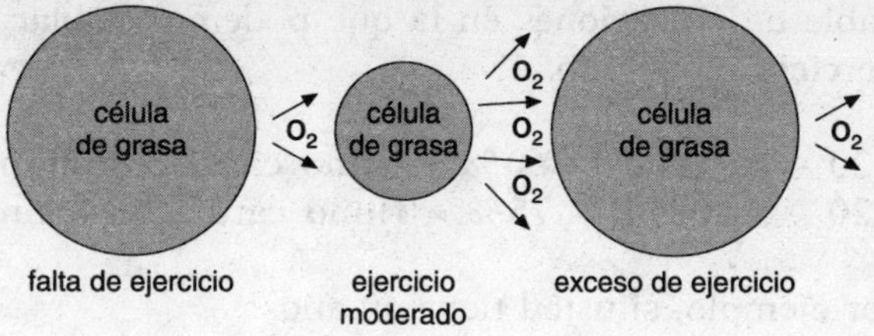

¿Cómo saber si se está haciendo un ejercicio moderado? Tenemos a nuestro alcance dos métodos que ahora mismo paso a explicar: el método de las pulsaciones y la prueba del canto. Puesto que la prueba del canto es por lo común la más precisa (y mi favorita), empecemos por ella.

Sí, es lo que piensa: le voy a pedir que cante mientras hace ejercicio. No hace falta que cante *La Bohème* ni el himno nacional (a menos que así lo prefiera); puede cantar cualquier cosa desde una canción infantil a su canción preferida. Tampoco tiene que estar cantando todo lo que dura el ejercicio; basta con hacer una comprobación cada cinco minutos con una o dos líneas de la canción.

La prueba del canto es así:

- Si puede cantar fácilmente sin necesidad de tomar aire ni una sola vez, el ejercicio no es lo bastante duro.
- Si tiene que tomar aire entre sílaba y sílaba, el ejercicio es demasiado duro.
- Si tiene que tomar aliento un par de veces aquí y allá, el ejercicio es correcto y moderado.

El método de las pulsaciones se sirve de una ecuación que estima el ritmo cardíaco máximo y establece porcentajes para determinar una banda variable de pulsaciones en la que podemos hablar de ejercicio moderado.

(220 – su edad) × 60 % = ritmo cardíaco mínimo.
(220 – su edad) × 75 % = ritmo cardíaco máximo.

Por ejemplo, si usted tiene 40 años:

(220 – 40) × 60 % = 108 pulsaciones por minuto.
(220 – 40) × 75 % = 135 pulsaciones por minuto.
La banda de pulsaciones que es deseable alcanzar en su caso es de 108 a 135 por minuto.

Con este método tiene que localizar el pulso, contar los segundos y al mismo tiempo contar las pulsaciones. Hay quienes tienen dificultades para encontrar el pulso (y se preguntan si están todavía vivos), mientras que otros encuentran difícil contar los segundos y las pulsaciones porque pierden la cuenta. A menos que sea experta en tomar el pulso, la animo a utilizar la prueba del canto y controlar así el ritmo de la respiración. ¿Quién sabe? ¡A lo mejor le resulta más divertido hacer ejercicio si al mismo tiempo va cantando!

3. **Haga ejercicio un mínimo de 45 minutos.** La obstinada célula de grasa femenina necesita que la engatusen un poco, y un margen de tiempo para ver cómo andan las cosas y liberar grasa lentamente. Durante los 30 primeros minutos de ejercicio, las células de grasa activan las enzimas que queman la grasa y se preparan para liberarla, pero no ceden a los esfuerzos que usted realiza hasta estar absolutamente seguras de que eso es necesario e inocuo. Con una intensidad muy moderada no se

sentirán en peligro, pero les costará unos 30 minutos empezar a desprenderse de la grasa. No obstante, una vez que se han activado las enzimas liberadoras de grasa, usted penetra en la zona de combustión de grasas, y le garantizo que cada minuto que sigue a esos 30 usted quema grasas.

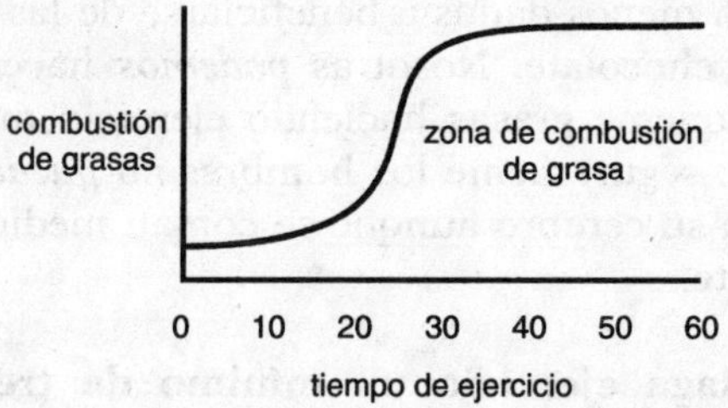

La primera media hora de ejercicio no es inútil; se estimula el metabolismo y se queman calorías, pero estas calorías proceden sobre todo de las reservas de azúcar, no de las reservas de grasa. Si usted hace ejercicio 45 minutos enteros, por lo menos le quedan 15 de pura combustión de grasa.

–¿Por qué mi marido corre veinte minutos tres veces por semana y pierde peso inmediatamente? ¿Es que los hombres liberan antes la grasa? –pregunta Victoria, perpleja.

Mientras que la mayoría de nosotras tarda media hora en liberar grasa, a los hombres les cuesta tan sólo unos minutos de ejercicio. Puede que no nos parezca justo, pero es un hecho médico. Mientras que nosotras nacemos dotadas de una maquinaria almacenadora de grasas para ganar peso rápida y eficientemente, los hombres nacen dotados de una maquinaria de combustión de grasas para perder peso rápida y eficientemente. No tienen ni mucho estrógeno ni las funciones especiales de la gestación y la lactancia.

La igualdad de los sexos no se extiende a la combustión de grasas y a la pérdida de peso. Pero la igualdad de los sexos tampoco se extiende a la relación entre los alimentos y el estado de ánimo. Los hombres pierden grasa más rápidamente, pero también son menos dados a beneficiarse de las cualidades del chocolate. Nosotras *podemos* hacer que el cuerpo queme grasas haciendo ejercicio más tiempo, pero seguramente los hombres *no pueden* hacer felices a su cerebro aunque se coman medio kilo de chocolate.

4. **Haga ejercicio un mínimo de tres veces por semana.** Para ver un cambio notable y permanente en el cuerpo, es necesario hacer ejercicio moderado durante 45 minutos, tres veces a la semana. Hacer ejercicio una o dos veces a la semana no basta para que el cuerpo esté en condiciones de liberar grasas. Si usted desea hacer ejercicio cuatro o cinco veces por semana, notará los cambios un poco antes, pero tres veces a la semana es todo cuanto necesita.

5. **Estimule la masa muscular para acelerar el metabolismo.** La misma actividad aeróbica estimulará los músculos de las nalgas y los muslos, pero para acelerar aún más el metabolismo y la capacidad de quemar grasa, quizá quiera considerar la posibilidad de emprender un programa de entrenamiento ligero con el fin de perder peso. Consulte a un espe-

cialista capaz de hacerle un programa a su medida.

Éstas son las cinco recomendaciones para quemar grasas. Cualquiera que sea la actividad aeróbica que escoja, asegúrese de que sigue *todas* las recomendaciones. Si lo hace así, transformará un cuerpo que almacena grasas en un cuerpo que quema grasas. Andar es igual de bueno que ir en bicicleta, que es igual de bueno que nadar e igual de bueno que remar, y así sucesivamente.

Chrisi pregunta un poco avergonzada:

–¿El sexo se considera un buen ejercicio aeróbico para quemar grasas?

Bien, si el movimiento es rítmico, incesante, con intervención de las nalgas y los muslos, de intensidad moderada durante por lo menos 45 minutos tres veces por semana, entonces sí. Su respuesta es rápida:

–Dejémoslo. ¿Qué tal el baile de salón?

Superar la aversión al ejercicio

–Solamente con saber que no tengo que hacer ejercicio más de tres veces a la semana ya me quita mucha ansiedad. Nunca he querido saber nada del ejercicio porque siempre he creído que tendría que hacerlo seis o siete días a la semana hasta el fin de mis días.

A muchas mujeres les encanta la recomendación de los tres días a la semana, aunque a algunas ya no les seduce tanto la de los 45 minutos. Pero si usted quiere elevar ánimos y quemar grasas, los 45 minutos son necesarios. De hecho, los efectos del ejercicio se harán notar más si dedica 45 minutos tres veces a la semana, que si dedica media hora cinco veces a la semana... ¡y eso que hay una diferencia de quince minutos menos a favor de la primera opción!

Ahora ya sabe cómo hacer ejercicio para liberar al mismo tiempo endorfinas en el cerebro y grasa de las células de grasa. Pero el conocimiento no siempre se traduce en acción. Usted sabe que debería hacerlo, sabe hacerlo, pero la ansiedad puede impedirle comprometerse de por vida con el ejercicio.

La ansiedad ante el ejercicio tiene varios orígenes. He aquí algunas causas de ansiedad muy comunes.

1. **«Una vez que empiece a hacer ejercicio, tendré que hacerlo toda la vida.»** Mi esperanza es que cuando usted empiece, vea que tiene unas ventajas físicas y emocionales tan grandes que quiera continuar siempre. Cuando comience, no se obligue a un compromiso firme para los próximos 30 o 40 años. Comprométase de semana en semana a dedicar al ejercicio unos días concretos y un espacio de tiempo determinado.

2. **«No tengo 45 minutos libres al día para hacer ejercicio.»** Ésta sí que es buena. Andamos tan atareadas ocupándonos de todo y de los demás que de ninguna manera nos queda tiempo para nosotras. Analice su agenda semanal: ¿cuándo prevé que le quedará un hueco para hacer ejercicio? Si su respuesta inmediata es «nunca», escudriñe a fondo y siga buscando. ¿Tiene algo de tiempo libre el sábado y el domingo, y luego cualquier otro día de la semana?

3. **«No me gusta hacer ejercicio y no encontraré nada con lo que disfrutar.»** Insisto en

que por lo menos tiene que ser un tipo de ejercicio que le resulte aceptable. Si usted sabe que no le gusta nadar, no elija la natación. Si le aburre la bicicleta estática, no invierta en comprar una. Hoy en día hay muchas opciones: gimnasios, clases de aerobic, grupos de travesía, grupos de senderismo, equipos de natación, grupos de acampada libre, buenos equipos para casa. Haga unas cuantas pruebas. Si no le gusta lo que ha elegido, inténtelo con otra actividad. No le garantizo que le encante el ejercicio, pero sí que acabará por verlo como un elemento primordial de su calidad de vida y que sin él no se sentirá usted misma. ¡Estará deseando notar las endorfinas!

Precisamente por el efecto paralizante de la ansiedad, he optado por recomendar un sistema de aproximación al ejercicio que llamo del «paso a paso»: *establecer progresivamente el programa de ejercicio a lo largo de un período de tres meses.*

¿Tiene tiempo para hacer ejercicio un día cualquiera de la próxima semana? Muchas mujeres responden que sí. ¿Puede prolongar la duración del ejercicio unos minutos más? ¿Puede añadir al anterior otro día más? Prolongue la duración de las sesiones poco a poco y vaya sumando días hasta conseguir tres sesiones de 45 minutos por semana. Este sistema de aproximación paulatina no solamente la ayudará a hacer del ejercicio parte integrante de su vida, sino que también evitará en buena medida, sobre todo al principio, posibles lesiones. Además, recomiendo consultar al médico antes de iniciar cualquier programa de ejercicio. La sección final de este capítulo está pensada para ayudarla a introducirse paulatinamente en el ejercicio y a diseñar su propio plan de ejercicios.

Elabore su propio programa de ejercicios

Si el ejercicio ya forma parte de su vida, ¡enhorabuena! Continúe con lo que venía haciendo y si es necesario revíselo y ajústelo para que la liberación de endorfinas y de grasas sea un hecho. Si es usted principiante, tómeselo con calma y diseñe un programa de ejercicio que la mantenga en forma sin salirse de su vida normal.

Aunque percibirá las ventajas psicológicas de una mayor energía y una mayor productividad mucho antes, le sugiero este compromiso de tres meses para que las células de grasa estén en condiciones de liberar grasa. Al término de los tres meses, la grasa habrá disminuido notablemente y los ánimos y la energía se habrán elevado también notablemente.

Primero, ¿qué actividad aeróbica elegirá? Si no está segura, comience por caminar. No cuesta dinero y puede hacerlo en cualquier sitio. También puede elegir diversas actividades: caminar un día, nadar otro día e ir a clase de aerobic el tercero.

Una vez elegida la actividad, escoja los días de la semana en que la realizará y vaya estableciendo lentamente su programa de ejercicio LSD a lo largo de las doce semanas subsiguientes, sin ansiedad y sin posibles lesiones.

Semanas 1 y 2:
 1 sesión a la semana de 10 a 15 minutos de duración.
Semanas 3 y 4:
 2 sesiones a la semana de 20 minutos de duración.

Semanas 5 y 6:
- 3 sesiones a la semana de 30 minutos de duración.

Semanas 7 y 8:
- 3 sesiones a la semana de 35 minutos de duración.

Semanas 9 y 10:
- 3 sesiones a la semana de 40 minutos de duración.

Semanas 11 y 12:
- 3 sesiones a la semana de 45 minutos de duración.

Recuerde: el tipo de ejercicio que elija no importa siempre y cuando sea aeróbico, a usted le guste y nunca se quede sin aliento.

Igual que los registros de comidas del Plan **ON**, los registros de ejercicio pueden ayudarla a hacer seguimiento de sus avances y a velar por que el programa de ejercicio alcance su potencial máximo. Cada semana, en el espacio correspondiente a los días que hace ejercicio, anote el número de minutos que ha trabajado en la zona de combustión moderada de grasas. En las páginas siguientes hay un registro de muestra y otro en blanco.

Usted *puede* integrar con éxito el ejercicio en su vida diaria siguiendo un entrenamiento concebido específicamente para la fisiología femenina, estableciendo paulatinamente el programa y ajustándolo de forma realista a la vida cotidiana. ¡Buena suerte!

REGISTRO DE EJERCICIO

	Lu.	Ma.	Mie.	Ju.	Vi.	Sa.	Do.
Semana 1			15 min.				
Semana 2					15 min.		
Semana 3					20 min.		
Semana 4			20 min.		20 min.		
Semana 5	30 min.		30 min.		30 min.		
Semana 6		30 min.	30 min.		30 min.		
Semana 7	35 min.		35 min.		35 min.		
Semana 8		35 min.			35 min.	45 min.	
Semana 9			40 min.		40 min.	40 min.	
Semana 10	40 min.		40 min.		40 min.		
Semana 11	45 min.		45 min.				45 min.
Semana 12	45 min.		45 min.		45 min.		

REGISTRO DE EJERCICIO

	Lu.	Ma.	Mie.	Ju.	Vi.	Sa.	Do.
Semana 1							
Semana 2							
Semana 3							
Semana 4							
Semana 5							
Semana 6							
Semana 7							
Semana 8							
Semana 9							
Semana 10							
Semana 11							
Semana 12							

10

ALIMENTACIÓN PARA TODA UNA VIDA DE BIENESTAR

–Estimo mis antojos por la especial finalidad que cumplen. He restablecido la relación entre los alimentos y el estado de ánimo y he perdido peso. Nutro y ejercito mi cuerpo siguiendo recomendaciones concebidas para las particularidades de la biología y la fisiología de la mujer. Y lo mejor de todo es que por fin he comprendido cómo funciona mi cuerpo. ¡Me siento tan capacitada!

Conocer y entender las cosas capacita. Si entiende cómo funciona el cuerpo femenino, sabrá qué es lo que tiene sentido y qué es lo adecuado para usted... y estará capacitada para seguir tratando su cuerpo con salud, benevolencia y respeto.

Alimentación + **E**jercicio = **C**apacitación

Quiero que usted haga suyos toda la energía positiva, la confianza, entendimiento, conocimiento, habilidad, logro y capacitación, y los emplee para satisfacer todas sus necesidades de hoy, de mañana y del resto de sus días.

Encuéntrese bien hoy, tenga la salud mañana

¿No es ésta la suprema meta del bienestar?... ¿Sentirse bien hoy y reducir mañana el riesgo de enfermedad y de discapacidad? Las dos partes de la meta no se excluyen mutuamente. Usted puede satisfacer sus necesidades inmediatas y simultáneamente sus necesidades de salud a largo plazo.

La meta de la salud a corto y a largo plazo no difiere mucho de otras metas de la vida. Usted quiere recoger hoy la ropa de la tintorería *y* reorganizar otra vez el armario el mes que viene. Quiere que sus hijos tengan hoy una educación preescolar *y* prevé su educación universitaria para dentro de quince años. Solemos terminar la lista de los quehaceres de hoy, pero postergamos las metas de mañana. Lo mismo sucede con la meta de la salud.

Lo cierto es que mucha gente no se siente motivada por las ventajas a largo plazo que para la salud tiene el ejercicio o el cambiar de hábitos alimentarios. En vez de ello, está motivada por lo que inmediatamente logrará sacar de los cambios positivos introducidos en su vida. La naturaleza humana es impaciente y quiere resultados rápidos.

En tanto que profesional de la salud, soy la primera en admitir que no hemos hecho un buen trabajo motivando a las personas a prevenir las enfermedades del corazón, el infarto, el cáncer y la diabetes. La incidencia de estas enfermedades sigue en ascenso año tras año. Sin embargo, sí hemos tenido mucho éxito motivando a las personas a introducir cambios positivos en el estilo de vida tan pronto como se les diagnostica una enfermedad. El porcentaje de mortandad en enfermedades cardiovasculares y cánceres desciende cada año, pero mi profesión no merece mucho crédito. Estas personas (quizá usted es una de ellas) están muy motivadas a prevenir la muerte y buscan el tratamiento adecuado.

Es inútil empezar a contar el número de veces que he oído a mis clientes decir: «Me encuentro bien y no tengo ninguna enfermedad, ¿por qué tendría que reducir yo la ingesta de grasa? La probabilidad de que mañana me atropelle un coche es mucho mayor que la probabilidad de que me muera de cáncer dentro de veinte años.» No puedo discutir ni con las estadísticas ni con la naturaleza humana, de modo que he cambiado de enfoque.

Antes utilizaba mucho una frase pretendiendo invitar a la reflexión:

«Un gramo de prevención vale tanto
como un kilo de cura.»

Pero, invite o no a la reflexión, a usted puede que ahora mismo le traiga sin cuidado curar nada excepto, quizá, a un niño enfermo. Sin embargo, quizá sí le importe mucho sentirse feliz pese a lo infeliz de algunas circunstancias de la vida. De modo que ahora he añadido a la primera una frase provocadora:

«Un gramo de prevención vale tanto
como un kilo de cura.»
y...
«Una onza de chocolate vale tanto
como un kilo de felicidad.»

¿Por qué no tener las dos a la vez? La felicidad hoy y menor riesgo de enfermedad mañana. Hoy chocolate y mañana prevención. **¡SE PUEDE!**

Usted puede notar las ventajas inmediatas de la rutina óptima de alimentación y ejercicio, y simultáneamente ser beneficiaria de las ventajas a largo plazo. De hecho, ya ha experimentado las ventajas inmediatas del Plan de Alimentación y Ejercicio **ON**:

mejoría del estado de ánimo
reducción del estrés
incremento de energía
reducción de la tensión premenstrual
y menopáusica
reducción de peso

Al mismo tiempo, usted puede reducir el riesgo de enfermedad crónica en el futuro. Si en su familia hay antecedentes de enfermedades del corazón, si en su caso hay riesgo de osteoporosis, o si teme la creciente epidemia del cáncer de mama, el Plan **ON** la ayudará a disminuir el riesgo de contraer estas enfermedades a largo plazo y a favorecer la longevidad.

–¿Quieres decir que comiendo chocolate corro menos riesgo de contraer cáncer de mama?

El chocolate tiene muchas cualidades únicas, pero no es un agente antienfermedad. Sin embargo, una cantidad moderada de chocolate no aumenta el riesgo de cáncer de mama ni de enfermedad del corazón. Como he dicho repetidas veces y reitero una vez más, las mujeres requerimos un poco más de azúcar y grasas que los hombres, y una cantidad moderada de chocolate o de cualquier otro alimento alto en grasas y azúcar no será nociva. Nocivas son la restricción y los atracones: no comer nada de chocolate y luego comerse kilos de chocolate.

Confiando en su cuerpo y respondiendo a sus necesidades por medio del Plan **ON**, ha encontrado usted esta zona de moderación apacible, realista y alcanzable que le será tan beneficiosa ahora como dentro de muchos años.

Sin embargo, si quisiera más orientaciones dietéticas en lo que respecta a las tres dolencias que más inquietan a las mujeres –osteoporosis, cáncer de mama y enfermedades del corazón–, continúe leyendo. Conocer y entender más cosas no hará sino capacitarla aún más, y esa nueva capacitación redundará en beneficio de la salud de su cuerpo y su mente.

Empollando la osteoporosis

La osteoporosis es la pérdida prematura de calcio en los huesos. Con la edad se pierde algo de calcio de forma natural, pero esperar a la menopausia para empezar a preocuparse por la osteoporosis no es lo más conveniente para usted. La masa ósea está en su punto culminante al cumplir los veinte años, y las mujeres empiezan a perder calcio en los huesos alrededor de los treinta (los hombres no empiezan hasta los cincuenta o los sesenta años). Al llegar la menopausia y con el descenso de estrógeno, perdemos calcio a marchas forzadas. Si usted ya está en los años de la menopausia, nunca es tarde para empezar con la rutina óptima de alimentación y ejercicio, e impedir que la pérdida sea aún mayor.

¿Cómo interviene el Plan **ON** en la salud de los huesos?

Puede que le haya llamado la atención que los productos lácteos y las fuentes de suministro de calcio no ocuparan un lugar destacado en el Plan **ON**. El cuerpo y los huesos necesitan calcio a diario, pero la osteoporosis no es, como se ha venido diciendo, un problema de deficiencia de calcio. Desde hace más o menos una década las mujeres consumimos suplementos cálcicos y litros enteros de leche en un intento por «corregir» esta deficiencia, y la masa ósea no ha aumentado significativamente. En el tema de la osteoporosis no todo se reduce al calcio.

La osteoporosis no es tanto un problema de deficiencia de calcio como de descompensación de calcio en el cuerpo, cuando los riñones y el colon excretan más calcio del que es absorbido por el torrente sanguíneo y depositado en los huesos. Cuando tal cosa sucede, los huesos no disponen del calcio necesario para hacerse más fuertes.

Esta descompensación puede venir producida por varios factores dietéticos, pero una de las mayores sustractoras de calcio son, al parecer, las proteínas. Cuando los residuos de proteína son excretados a través de los riñones, apresan el calcio y se lo llevan consigo. El Plan **ON** no alienta a consumir proteínas porque pueden mermar el efecto beneficioso de los carbohidratos sobre el estado de ánimo, pero es que además tienen efectos nocivos sobre el calcio de los huesos. Una ventaja añadida que entraña el prestar atención al cuerpo y comer menos proteínas es que ello contribuirá a que el cuerpo esté menos descompensado de calcio.

Naturalmente las mujeres necesitamos algo de proteínas para reparar músculos y producir enzimas, pero ahora mismo, por término medio, consumimos 1 1/2 veces más proteínas de las que el cuerpo requiere. Este exceso proteínico puede estar ejerciendo un efecto negativo sobre el estado de ánimo y la salud de los huesos. Una ingesta moderada y ajustada a las necesidades femeninas será de por lo menos 100 g de una fuente proteínica animal o vegetal de alta calidad al día. Esto, en combinación con las proteínas contenidas en los cereales y granos que usted consume a lo largo del día, es suficiente para satisfacer sus necesidades.

Además de las proteínas, hay otros sustractores de calcio:

cafeína
sodio
refrescos
alcohol

La cafeína y el sodio actúan de manera similar a las proteínas: cuando son filtrados a través de los riñones despojan al cuerpo y a los huesos de unas cuantas moléculas de calcio. Los refrescos (¡especialmente los bajos en calorías!) contienen otro mineral, el fósforo, que compite con el calcio para ser absorbido en el estómago y los intestinos. Y el alcohol reduce la absorción de calcio en el estómago *y* aumenta la excreción de calcio en la orina.

No es de extrañar que la mujer americana prototípica corra el riesgo de padecer osteoporosis. Pensemos en lo que hace cada día: consume demasiadas proteínas porque las comidas occidentales se basan sobre todo en la carne; toma demasiado sodio porque está muy ocupada y recurre a los alimentos procesados de preparación rápida; bebe un par de tazones de café al día, unos cuantos refrescos y un par de copas de vino. Es posible que su cuerpo ignore que puede existir tal cosa como el equilibrio positivo de calcio.

Vigile la ingesta de estos sustractores de calcio y procure consumirlos en cantidades moderadas. De 1 a 2 dosis de cada cosa es lo moderado: 1 a 2 tazas de café (esto ya lo sabe porque lo hemos tratado en el capítulo 7), de 1 a 2 refrescos, e incluso de 1 a 2 ingestas de alimentos ricos en sodio.

–¿Quieres decir que así puedo despreocuparme de la ingesta de calcio?

No, usted necesita calcio para que el equilibrio sea positivo; lo que quiero decir es que independientemente del calcio que consuma, estos sustractores pueden descompensar el equilibrio cálcico.

¿Cuánto calcio necesita consumir al día? Depende de a qué institución pregunte: la Organización Mundial de la Salud (OMS) dice que 450 mg/día, otras que 800 mg/día y otras que 1.000 mg/día para las mujeres premenopáusicas y 1.500 mg/día para las mujeres posmenopáusicas. Para curarse en salud, debería tender a consumir las cantidades más altas.

No es difícil ingerir entre 1.000 y 1.500 mg de calcio al día. El yogur tiene 450 mg por ración, y la mayoría de los quesos, 200 mg. Hasta el agua mineral puede contribuir a la ingesta diaria de calcio: casi todas contienen entre 50 mg y 100 mg por vaso. Así pues, el calcio del agua más un par de raciones de productos lácteos (junto con lo que contienen los demás alimentos que consuma), generalmente basta para alcanzar la cantidad recomendada. Sin embargo, si usted padece intolerancia a la lactosa, es vegetariana estricta o no bebe leche por cualquier otra razón, familiarícese con otras fuentes de calcio

FUENTES DE CALCIO

sardinas (100 g)	372 mg	coles (1/2 taza)	179 mg
tofu (100 g)	120 mg	ruibarbo (1/2 taza)	175 mg
gambas (100 g)	100 mg	remolacha (1/2 taza)	100 mg
legumbres (1 taza)	100 mg	bróculi (1/2 taza)	55 mg
almendras (1/2 taza)	90 mg	espinacas (1/2 taza)	84 mg
naranja (1 mediana)	50 mg	melaza (1 cucharada)	137 mg

Dé preferencia a consumir alimentos suministradores de calcio y deje para el final las pastillas de calcio. El calcio que de forma natural contienen los alimentos es mejor absorbido que el calcio en pastillas. Si usted las toma, consúmalas para lo que están pensadas, es decir: para complementar el calcio de la dieta, no para sustituirlo. Habitualmente se recomiendan las pastillas de calcio carbonato y de calcio citrato porque el cuerpo los absorbe mejor.

Al margen de la cantidad de calcio que usted consuma o de cuán familiarizada esté con los sustractores de calcio, si no hace ejercicio el cuerpo no tiene manera de depositar calcio en los huesos. ¡Otra razón más para comprometerse con el Plan **ON**!

Los ejercicios de acarreo de peso siempre han sido y serán los mejores para fortalecer los huesos. Tal cosa no significa que tenga usted que empezar a cargar y descargar en los muelles para impedir la pérdida de huesos; significa que tiene que hacer algo que fuerce a los huesos a desplazar el peso del cuerpo a lo largo de una cierta distancia.

¡Por eso es tan bueno andar! Con cada paso, usted desplaza todo el peso del cuerpo. Con la bicicleta estática y el aparato de remos, casi todo el peso del cuerpo lo soporta el asiento (y por eso acaba siendo tan incómodo), no los huesos.

–Dejé la natación porque me dijeron que no era nada buena para los huesos.

Si ha dejado de nadar y ha empezado a andar, entonces ha sido mejor para los huesos. Si ha dejado de nadar y ahora no hace nada, empiece de nuevo con la natación. El agua soporta su peso, pero con cada brazada y con cada impulso, usted mueve kilos y kilos de agua. Hay otros ejercicios de acarreo de peso que son mejores, pero aun así la natación tiene sus ventajas para los huesos.

Cualquier movimiento que fuerce a los huesos a llevar peso es beneficioso

andar
correr
esquí de travesía
bailar
aerobic
claqué
golf (siempre que se desplace andando)
bolos
tenis
squash
baloncesto
patinaje
levantamiento de pesas

Los ejercicios de acarreo de pesos no se limitan a las actividades organizadas y a los deportes. Ser madre reciente basta para depositar montones de calcio en los huesos por el solo hecho de llevar al niño en gestación durante nueve meses y después por llevar al bebé y a todos sus accesorios a cuestas de un lado para otro. Otras actividades son: cortar el césped, la jardinería y, con gran disgusto por mi parte, limpiar la casa.

Ejercitar los huesos es una de las mejores defensas contra la osteoporosis. Sin embargo, hay muchas razones por las que hacer ejercicio, de manera que los ejercicios de acarreo de peso que además son aeróbicos, son los idóneos para mantener sanos los huesos, vigorizar el estado de ánimo y prevenir las enfermedades del corazón y el cáncer de mama.

Llegar al fondo del cáncer de mama

Preguntadas por cuáles son sus principales inquietudes con respecto a la salud, las mujeres responden siempre:

1. cáncer de mama
2. otros cánceres
3. SIDA
4. enfermedades del corazón

Para sorpresa de muchas, el cáncer de mama no es la principal causa de mortalidad entre las mujeres; son las enfermedades del corazón. Y el cáncer de mama ya no es la principal causa de mortalidad entre los cánceres; es el cáncer de pulmón. No hace falta decir que el incremento del tabaquismo entre las mujeres justifica el aumento de cáncer de pulmón.

Hasta hace poco, eran muy escasos los estudios sobre enfermedades coronarias que incluían a las mujeres, y los casos que sí se contemplaban no eran suficientemente representativos. Las mujeres no solamente no han sido objeto de estudio en las investigaciones, sino que tampoco han merecido demasiada atención como pacientes en las consultas de los médicos. Los estudios demuestran que muchos médicos se toman más en serio los síntomas de los hombres, mientras que tienden a descartar nuestras quejas calificándolas de psicosomáticas.

Puede que no padezcamos ataques al corazón tan jóvenes como los hombres, pero cuando lo sufrimos, tenemos dos veces más probabilidades de morir. Más de un 36 % de las muertes femeninas acaecidas cada año se deben al corazón... *diez veces más muertes al año que las producidas por el cáncer de mama.*

No intento en modo alguno restar importancia al cáncer de mama; cada mañana, en la ducha, pienso en la posibilidad de contraerlo. Intento darle una perspectiva adecuada para que usted se anime a combatir a la vez el cáncer de mama y las dolencias del corazón.

Tanto áquel como éstas tienen en común ciertos factores de riesgo, como son los antecedentes familiares, la obesidad y ciertos hábitos de vida. Otros, sin embargo, son muy diferentes:

Enfermedades del corazón:
- alto nivel de colesterol en sangre
- alta tensión sanguínea
- triglicéridos altos

Cáncer de mama:
- empezar con el período antes de los 12 años
- tener el primer hijo antes de los 30
- no tener hijos

–¿Y qué hay de las mamas fibrocísticas? ¿No constituyen también un factor de riesgo?

Le explico a Jenna que, en primer lugar, tener bultos dolorosos en las mamas no es una enfermedad y, segundo, que si fuera un factor de riesgo, el 90% de las mujeres estarían en peligro de contraer cáncer de mama. Hay cinco clasificaciones distintas para las mamas fibrocísticas, pero generalmente se engloban todas bajo el mismo epígrafe, de manera que las mujeres pensamos que cualquiera de sus tipos puede producir un cáncer de mama. Solamente hay uno, el llamado hiperplasia atípica, que tenga vinculación con el cáncer, y es uno de los menos comunes.

Hay algunos factores de riesgo –como los antecedentes familiares y la raza– que no podemos controlar, ¡pero sí *pueden* controlarse los factores de riesgo relacionados con la dieta! El Plan **ON** ya ha tratado algunos de ellos.

- Mantener un peso llevadero; si usted aún no ha llegado a este punto, ya se va acercando. El Plan

ON continuará poniendo de su parte para que usted alcance este objetivo.

- Dieta moderadamente baja en grasas; usted ya la sigue porque presta atención a las necesidades de su cuerpo y come la cantidad justa de grasa. Tratemos ahora más concretamente la relación entre grasas y enfermedad.

La relación entre grasas y enfermedades del corazón es bastante conocida. El exceso de grasa, particularmente de grasas saturadas de origen animal, eleva el colesterol «malo», el que obstruye las arterias. Con el Plan **ON** usted ya come más fécula y menos proteínas animales, de modo que la ingesta de grasas saturadas ha disminuido automáticamente.

¿Cuánto es demasiada grasa? Cuando más del 30% de las calorías diarias se derivan de la grasa, las arterias pueden empezar a verse negativamente afectadas.

La relación entre grasas y cáncer de mama es confusa y equívoca. Mientras que algunos estudios han encontrado alguna relación, otros no han encontrado ninguna. El jurado aún no ha deliberado y es probable que tarde en deliberar unos cinco años. ¿Qué hace usted mientras tanto? Ser prudente y comer grasas con moderación.

Entre el 20 y el 30% de las calorías totales es lo más acertado. Con el Plan **ON**, espero que su cuerpo haya equilibrado de forma natural la ingesta de grasa hasta el nivel de moderación, pero he aquí dos sugerencias importantes:

1. Si tiene antojo de grasa, satisfaga el antojo con una cantidad lo más *pequeña* posible. Recuerde: no hace falta mucho para satisfacer los antojos biológicos.

2. Cuando ingiera un alimento de alto contenido graso, *equilibre* la ingesta de grasa a lo largo de las horas siguientes ingiriendo alimentos de bajo contenido graso. Por ejemplo, si ha comido chocolate a primera hora de la tarde porque «la galanina se había puesto pesada», elija alimentos bajos en grasas para cenar siempre y cuando el cerebro no pida nada en particular.

El siguiente cuadro de contenido graso de los alimentos la ayudará a identificar los más ricos en grasas y equilibrarlos confiadamente con los más bajos en grasas.

BAJOS EN GRASAS <20 % CALORÍAS DERIVADAS DE LA GRASA	ALTOS EN GRASAS >20 % CALORÍAS DERIVADAS DE LA GRASA
PRODUCTOS HORTOFRUTÍCOLAS	
frutas y verduras, zumos de frutas y verduras, fruta seca, encurtidos, chucrut.	aceitunas, aguacate, coco, cremas de verduras, aceites vegetales.
FÉCULAS	
la mayoría de los panes y cereales, pasta, panecillos, fideos, arroz, maíz, cebada, bulgur, avena, salvado, patatas, tortitas de maíz, palomitas de maíz infladas con aire caliente.	bollos, galletas, pan de maíz, crêpes, croissants, pastas dulces, Donuts, patatas fritas, galletitas saladas de aperitivo, palomitas de maíz hechas con aceite o en el microondas, germen de trigo.
PRODUCTOS LÁCTEOS	
leche descremada, leche descremada en polvo, suero de leche, yogur descremado, helado de yogur descremado, queso fresco sin grasa, leche helada, sorbete.	leche entera, nata líquida, nata montada, helado, la mayoría de los quesos, crema de queso, mantequilla.

BAJOS EN GRASAS <20 % CALORÍAS DERIVADAS DE LA GRASA	**ALTOS EN GRASAS >20 % CALORÍAS DERIVADAS DE LA GRASA**
halibut, bacalao, abadejo, lenguado, platija, cubera colorada, atún, atún en agua, blenio, gamba, calamar, ostra, mejillón, vieira, cangrejo, carne blanca de las aves sin piel, jamón, lomo de cerdo, ternera, bistec de tapa, espaldilla, carne de venado, conejo, búfalo, claras de huevo, legumbres.	salmón, trucha, pez espada, tiburón, caballa, anchoas, sardinas, carne oscura de las aves, carne blanca de las aves con piel, casi toda la carne de vaca, casi toda la carne de cerdo, casi toda la carne de cordero, bacon, embutidos, perritos calientes, fiambres, menudillos, frutos secos, semillas, mantequilla de cacahuete, tofu, pato, huevos enteros.
MISCELÁNEA	
caldo, consomé, casi todas las sopas, especias, hierbas, mostaza, catsup, rábano picante, salsa de soja, salsa teriyaki, vinagre, salsa Perrins, vino, aliños de ensalada no grasos.	sopas cremosas, aliño de ensalada, mayonesa, margarina, aceites, manteca de cerdo, sebo.
DULCES Y POSTRE	
mermelada, jalea, compota, azúcar, pastillas de goma, caramelos duros, regaliz, piruletas, pan de higos (sin frutos secos), sorbetes de frutas, merengue, gelatina.	chocolate, caramelos blandos, casi todas las galletas, casi todas las tartas, pasteles, dulce de leche, helado, mantecados, hojaldrados.

Hay una importante recomendación dietética para reducir el riesgo de cáncer de mama y de enfermedad del corazón que aún no he mencionado: ¡Coma cinco al día! No me refiero a cinco minicomidas (aunque también podría ser); me refiero a por lo menos cinco piezas de fruta y/o cinco verduras al día. ¿Por qué? Porque más de 200 estudios realizados han coincidido en los mismos resultados: si la ingesta de frutas y verduras aumenta, el riesgo de cáncer de mama y enfermedades del corazón disminuye.

¿Qué tienen de especial los productos hortofrutícolas? Las frutas y las verduras son bajas en grasas, tienen un alto contenido de fibra, son ricas en nutrientes y especialmente altas en antioxidantes.

La vitamina C, el betacaroteno (forma soluble en agua de la vitamina A) y otras vitaminas y minerales son antioxidantes, que quiere decir «contra la oxidación». Todas las células del cuerpo utilizan oxígeno para los procesos metabólicos, y uno de los residuos de la oxidación celular son los llamados radicales libres. Y no estoy hablando de aquella gente de Mayo del 68 (aunque aún quedan algunos), sino de unas moléculas inestables que producen estragos en el cuerpo. Su único objetivo es estabilizarse ellas interactuando con otras células del cuerpo. Podrían interactuar con una célula de las mamas, una célula arterial o cualquier otra célula, y cuando lo hacen inician una reacción en cadena de radicales libres que daña a las células.

Mientras los radicales libres intentan estabilizarse, causan daños a las células y provocan la formación de otro radical libre. Es imposible detener este proceso a menos que uno deje de respirar, lo cual acarrearía la muerte igualmente. Sin embargo, se puede retardar el proceso de oxidación con los an-

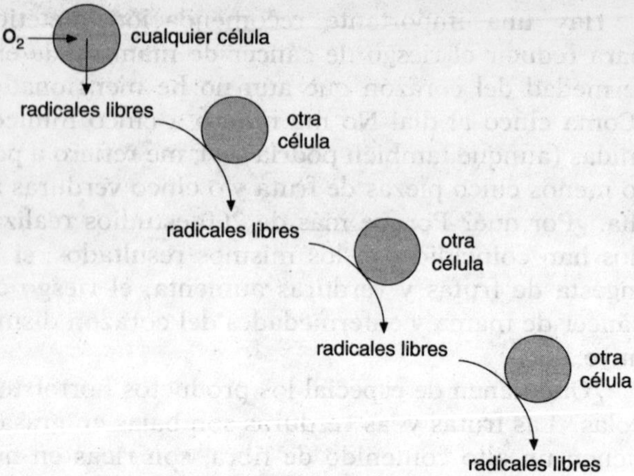

tioxidantes. Estabilizan los radicales libres sin que ellos mismos resulten dañados o se inestabilicen.

Ésta es una explicación sencilla para un proceso muy complejo, pero quiero que usted entienda por qué es importante comer todos los días frutas y verduras.

¿Necesita persuadirse todavía más? Las frutas y las verduras contienen sustancias fitoquímicas, poderosos agentes que combaten la enfermedad y que pueden ayudar a eliminar las sustancias dañinas del cuerpo y reducir el riesgo de cáncer. Hay miles de sustancias fitoquímicas en las plantas (fito significa

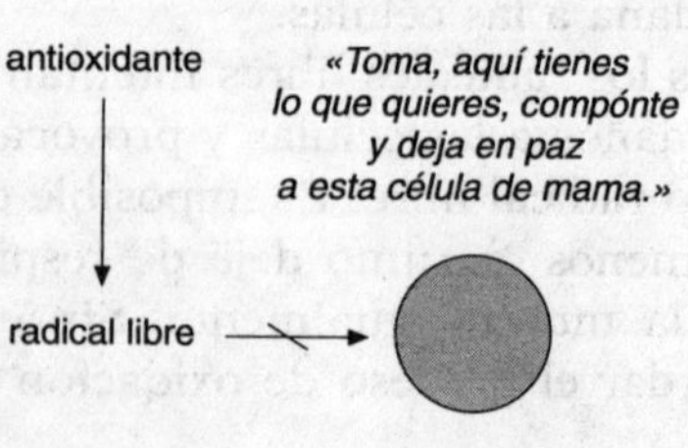

planta), y se las llama los nuevos nutrientes de los noventa.

¿Cuántas piezas de fruta y cuántas clases de verdura come al día? Solamente el 23 % de la población femenina estadounidense come cinco o más frutas y/o verduras al día. En muchos de los estudios realizados sobre consumo de alimentos, al catsup se le considera fruta (los tomates lo son) y a las patatas fritas se las considera verdura (la patata es un alimento vegetal aunque nosotros tenemos más en cuenta su calidad de fécula). **¡Que sea una prioridad comer cinco al día!**

Cuando usted atiende las necesidades de su cuerpo, cinco no es una cantidad díficil. Tendrá antojo de verdura por los nutrientes que el cuerpo necesita. Tendrá antojo de fruta tanto por sus nutrientes como por la liberación de azúcar/serotonina. Para cerciorarse de que junto con las variedades de las cinco frutas o verduras consigue los necesarios antioxidantes, opte por:

1 ración de color naranja/amarillo para suministro de betacaroteno: zanahorias, calabaza, melón cantalupo, pimientos rojos, papaya, albaricoques, tomates
1 ración de cítricos para suministro de vitamina C: naranjas, pomelos, fresas, piña, nectarinas
1 ración de verdura verde oscura para suministro de betacaroteno y vitamina C: bróculi, coles de bruselas, espinacas, acelgas, berza, lechuga romana
2 raciones de su elección
(Nota: 1 ración = 1/2 taza de verdura cocida, 3/4 de taza de verdura cruda, o 1 pieza mediana de fruta)

–¿En qué categoría entra el chocolate? Debe de ser un vegetal porque se extrae de la planta del cacao.

Michele intenta por todos los medios llevar la cuestión al extremo. Cuando se da cuenta de que el chocolate no puede calificarse ni de verdura ni de fruta, pregunta:

–¿Y si en lugar de fruta y verdura tomara complejos vitamínicos?

Si el cuerpo estuviera concebido para obtener nutrientes de las pastillas, éstas crecerían en los árboles. Aplíquese primero a la tarea de ingerir los alimentos indicados y luego, si lo necesita, complemente la dieta con complejos vitamínicos para tener la total seguridad de que ingiere lo que necesita.

Muchas personas no toman complejos vitamínicos por tener esa seguridad, sino en sustitución de los alimentos. Se toman diez pastillas cada mañana y ya no se preocupan más en todo el día. Pues bien, no es una cuestión de la que deban desentenderse porque los complejos vitamínicos no contienen todas las vitaminas necesarias. Antes de 1930, tan sólo se habían descubierto ocho nutrientes esenciales. En 1960 ya eran veinticinco; hoy en día son más de treinta y cinco los nutrientes esenciales sin los cuales el cuerpo no puede vivir. Con esto intento hacer ver que los laboratorios no pueden predecir el futuro; tan sólo pueden basarse en investigaciones realizadas en el pasado. Los complejos vitamínicos de hoy carecen de nutrientes que aún no se han descubierto.

Siguiendo con el tema de los complejos: hay anuncios publicitarios que ensalzan las bondades de una serie de vitaminas, minerales y otras preparaciones para estabilizar los ánimos, ganar en energía, disminuir el estrés y mitigar los síntomas del SPM y menopáusicos. Aunque se necesitan algunos nutrientes para la conversión de los carbohidratos en serotonina, los complejos manufacturados no sirven para controlar el estado de ánimo. Son muchos los elementos que intervienen en la relación entre alimentos y estado de ánimo... y los alimentos naturales los aportan todos.

Más allá del chocolate: otros benefactores del ánimo

Para mejorar el estado de ánimo y rejuvenecer el cuerpo usted puede hacer ejercicio, comer chocolate y satisfacer las demás necesidades alimentarias femeninas. Además, he pensado que sería útil hacer mención de otro tipo de actividades que son válidas para estimular la liberación de endorfinas y serotonina.

- sumersión en agua, hidroterapia, baños calientes, baños termales
- acupresura, acupuntura, masaje muscular y shiatsu
- meditación, oración, relajación progresiva y biorrealimentación
- amor, intimidad y placer sexual
- hasta el dar de mamar y el vínculo madre-hijo han demostrado tener efectos positivos sobre las sustancias químicas del cerebro tanto en la madre como en el hijo

En otros países, muchas de estas actividades están a la orden del día desde hace miles de años, de manera que su interacción con el cuerpo y la mente sólo constituyen un descubrimiento para nosotros, pero no para el mundo. Utilíce estas actividades como complemento a la alimentación y el ejercicio, buscando sus efectos positivos sobre el estado de ánimo. Liberan en el cerebro las mismas sustancias químicas que el chocolate, y quizá más.

Tuve una vez una cliente que hizo un experimento endorfínico probando tantas actividades de este tipo como pudo. Dio un paseo de cuarenta y cinco minutos, le dieron un masaje corporal, se comió una pastilla de chocolate, hizo meditación durante una hora, fue a una clase de yoga, se comió otra pastilla de chocolate, se dio un baño caliente de media hora y por último hizo apasionadamente el amor con su marido.

Dijo estar en un estado tan alterado de consciencia que pasó «días enteros tocando el cielo, la mejor semana de su vida». El único problema fue que se quedó tan relajada y despreocupada que no podía hacer nada.

Alimentos para todas las necesidades: cerebro, cuerpo, mamas y huesos

¿Verdad que tiene sentido? Lo que es bueno para el cerebro, es bueno para el cuerpo y viceversa. ¿Por qué no tendría que ser así? El ser entero es un intrincada red de hormonas, neurotransmisores, mecanismos de realimentación, controles y equilibrios.

En razón de todas las necesidades femeninas; cerebro, cuerpo, mamas y huesos, su cuerpo la ha conducido a usted hasta una óptima rutina de alimentación que ha satisfecho y continuará satisfaciendo esas necesidades. El Plan **ON** *es* la solución óptima para la nutrición del cuerpo y de la mente. No es una dieta, ni un régimen de comidas, ni un conjunto de reglas que no hay que abandonar ni un minuto. Son recomendaciones alimentarias para mujeres, nuevas y perfeccionadas.

1. No hay alimentos prohibidos. Todos son aceptables cuando respondemos a las necesidades y antojos de nuestro cuerpo.
2. Comer grasas en cantidad moderada, entre un 20 y un 30 % de las calorías totales.
3. Seguir una dieta rica en carbohidratos, especialmente en las horas centrales del día, cuando el cerebro más los necesita.
4. Ingerir cinco minicomidas al día. Dar más valor a la comida de mediodía y menos importancia a la cena; asegurarse de que los desestabilizadores (azúcar, cafeína, alcohol y edulcorantes artificiales) son consumidos solamente dentro de una minicomida.
5. Comer cinco frutas y verduras al día para aportar al cuerpo todos los nutrientes y antioxidantes que necesita.

y hay otra más...

6. Hidratar diariamente el cuerpo.

La única necesidad femenina que aún no hemos tratado es la de la hidratación; así pues, vamos a ello. Todas y cada una de las reacciones del cuerpo tienen lugar en un medio acuoso... incluso la reacción que libera grasa de las células de grasa. Todas las células necesitan agua, los músculos necesitan agua, la piel necesita agua, el cerebro necesita agua. **USTED NECESITA AGUA.**

Cuando está deshidratada:

- Usted se siente fatigada porque las células no funcionan eficientemente.
- Tiene la piel seca, con ronchas, carece de brillo.
- Los riñones trabajan en exceso.

- Se pueden producir calambres en los músculos que le impidan hacer los cuarenta y cinco minutos de ejercicio.
- El cerebro no puede pensar bien y usted acaba con dolor de cabeza.

Hidratar el cuerpo la ayudará a encontrarse muy bien, pero la verdadera hidratación es algo más que beber mucho líquido. En la dieta hay sustancias hidratantes y deshidratantes, y usted debe saber cuáles son.

Hidratantes	**Deshidratantes**
agua del grifo	café
agua embotellada	alcohol
agua mineral	refrescos
agua carbonatada	zumos

Todas hemos podido comprobar los efectos deshidratantes del café y el alcohol al visitar con mayor frecuencia el baño poco después de consumirlos. Por cada taza de café que bebe, usted excreta dos tazas de líquido y crea en el cuerpo un equilibrio de agua negativo. Los refrescos y los zumos de frutas envasados tienen tanta concentración de azúcar que el cuerpo no puede aceptarlos así. Quedan retenidos en el estómago mientras entra agua procedente del torrente sanguíneo para rebajar la concentración de azúcar. Así pues, en principio, deshidratan el cuerpo. Sin embargo, usted puede hacer fácilmente que los zumos tengan la concentración de azúcar adecuada para el cuerpo diluyéndolos con una parte igual de agua. Lo mismo es válido para las diversas bebidas electrólitas: dilúyalas con agua y así irá camino de la hidratación.

Diluya las bebidas y beba mucha agua. El agua es la mejor manera de calmar la sed del cuerpo porque se absorbe rápidamente y porque rápidamente llega a todas las células. Pero no se puede confiar por entero en las señales de sed para hidratar adecuadamente el cuerpo. Si usted bebe agua solamente cuando tiene sed, consumirá tan sólo el 50 % de los fluidos que el cuerpo necesita.

¿Cuánta agua tendría que beber al día? Nadie sabe de verdad de dónde surgió la recomendación universalmente aceptada de beber «ocho vasos al día». Quizá lo correcto sean seis o tal vez diez vasos. Solamente los riñones lo saben de cierto. Ésta es la razón de que yo recomiende a mis clientes que comprueben el color de la orina: si es brillante y coloreada (ámbar oscuro) hay que beber más agua. Si es de color amarillo pálido, la hidratación es la apropiada... y una de las recomendaciones importantes para la salud femenina.

El don de Eva

Ahora ya sabe prácticamente todo lo que hay que saber sobre las necesidades biológicas de alimentación en las mujeres: para el cuerpo, el cerebro, la mente y el estado de ánimo. Ya sabe por qué tiene antojos de ciertos alimentos y lo que es más importante, por qué debe confiar en sus antojos y satisfacer esas necesidades alimentarias cada día. ¡El conocimiento capacita!

Al seguir el Plan **ON** estas cinco semanas atrás, descubriendo su rutina de alimentación óptima, y respondiendo a todas las necesidades especiales de su cuerpo con confianza, placer y satisfacción, usted pisa terreno firme para controlar el peso, favorecer un buen estado de ánimo y avanzar por el camino de la salud toda la vida.

Tal vez haya empezado la lectura de este libro deseando no tener necesidades de alimentación instintivas, ni apetito por el azúcar y la grasa, ni esa relación tan estrecha del estado de ánimo con la alimentación. Pero espero que ahora esté dando las gracias a su buena estrella y bebiéndose una copa de champán (acompañado con un poco de chocolate, claro) para celebrarlo.

Tal como decía una de mis clientes:

–Verdaderamente *es* el don de Eva. No me sorprendería que un día de éstos descubriéramos que el fruto prohibido estaba recubierto de chocolate.

Tampoco a mí me sorprendería.

GLOSARIO

Ácido esteárico

Un tipo único de grasa saturada que reduce los niveles de colesterol en sangre y que está presente en el chocolate y en algunos otros alimentos.

Adrenalina

Una hormona liberada en el transcurso de situaciones estresantes que desencadena una serie de reacciones fisiológicas que reciben el nombre de respuesta de «lucha o huida». Estas reacciones tienen por objeto movilizar energía, incrementar la agudeza e impedir las lesiones.

Antioxidantes

Grupo de nutrientes (entre ellos el betacaroteno, la vitamina C, la vitamina E y varios minerales) que se encuentran sobre todo en las frutas y las verduras, y que impiden la oxidación de las células neutralizando el efecto nocivo de los radicales libres. Se ha descubierto que esta interacción reduce el riesgo de enfermedades del corazón y de ciertos cánceres.

Antojo de comida biológico

Un fuerte deseo fisiológico de alimentos específicos provocado por la necesidad de equilibrar los niveles de nutrientes, de azúcar en sangre o de sustancias químicas cerebrales. El hambre siempre precede a los antojos biológicos, y satisfacerlos da por resultado una mejora en el estado nutricional y en el estado de ánimo.

Antojo de comida emocional

Fuerte deseo psicológico de ciertos alimentos provocado por una necesidad emocional insatisfecha. El antojo emocional viene precedido por un estado de ánimo negativo, no por el hambre fisiológica, y el resultado de satisfacer este tipo de antojo es un sentimiento negativo intensificado.

Antojo de comida femenino

Una necesidad biológica normal de un alimento específico que equilibrará el cuerpo y la mente de la mujer, y le revitalizará su bienestar.

Carbohidratos complejos

Largas cadenas de moléculas de glucosa que tardan aproximadamente dos horas en ser digeridas y absorbidas por el torrente sanguíneo, y que se encuentran en féculas tales como el pan, las patatas, el arroz, la pasta y los cereales.

Carbohidratos simples

Cadenas cortas de moléculas de glucosa que son rápidamente digeridas y absorbidas por el torrente sanguíneo, y que se encuentran en los alimentos ricos en azúcar como los caramelos, la mermelada, la fruta, el zumo de frutas y los refrescos.

Colecistoquinina
Una sustancia química de saciedad liberada desde el estómago y el intestino que informa al cerebro del resultado del proceso para que deje de comer.

Desestabilizadores del azúcar en sangre
Sustancias como los azúcares simples, la cafeína, el alcohol y los edulcorantes artificiales que pueden ocasionar un marcado incremento y/o descenso de los niveles de azúcar en sangre.

Desorden Afectivo Estacional
Efecto negativo extremo de las breves horas de luz del invierno sobre los ritmos biológicos, el estado de ánimo y los niveles de energía. Los síntomas son, entre otros, depresión, apatía, niveles bajos de serotonina cerebral y antojos de carbohidratos.

Dopamina
Sustancia química del cerebro liberada después de ingerir alimentos ricos en proteínas y que puede incrementar la agudeza y la concentración.

Ejercicio aeróbico
Movimiento rítmico e incesante que emplea los grandes grupos musculares, las nalgas y los muslos, y que da por resultado una aceleración sostenida de

los latidos del corazón y de la respiración. Entre los ejercicios aeróbicos («con oxígeno») están andar, hacer excursiones, jogging, ir en bicicleta, remar, nadar, subir escaleras, esquí de travesía, clases de aerobic y clases de claqué.

Ejercicio anaeróbico

Tipo de ejercicio que implica parar/reanudar movimientos y que *no* dan por resultado una aceleración sostenida de los latidos del corazón ni de la respiración. Entre los ejercicios anaeróbicos («sin oxígeno») están las carreras de velocidad, el golf, los bolos y el levantamiento de pesas.

Ejercicios de acarreo de peso

Cualquier movimiento físico que fuerce a los huesos del esqueleto a llevar peso (peso corporal o peso externo) y propicia el aumento de la densidad ósea. Entre los ejercicios de acarreo de peso están: andar, bailar, tenis, golf, jardinería, limpieza de la casa y levantamiento de pesas.

Endorfinas

Grupo de sustancias químicas cerebrales liberadas al experimentar dolor físico, hacer ejercicio, en situaciones placenteras o tras comer chocolate y grasa que reduce la sensibilidad al dolor, aumenta las energías y mejora el estado de ánimo.

Equilibrio cálcico negativo

Término utilizado para describir un estado de descompensación de calcio que se produce cuando el cuerpo excreta más calcio del que se consume y deposita en los huesos.

Equilibrio cálcico positivo

Término utilizado para describir la condición saludable que resulta de consumir y depositar en los huesos más calcio del que excreta el cuerpo.

Estrógeno

Hormona sexual femenina liberada en los ovarios, las glándulas suprarrenales y las células de grasa, responsables de las características sexuales y de la fertilidad.

Feniletilamina

Sustancia química del cerebro que se libera cuando se experimentan emociones positivas tales como el enamorarse. Esta sustancia también se encuentra en algunos alimentos, como por ejemplo el chocolate.

Galanina

Sustancia química cerebral que estimula el antojo de grasa y el almacenamiento de grasa y que generalmente es liberada durante la tarde.

Grasa saturada

Tipo de grasa que aumenta los niveles de colesterol en sangre y que está presente en todos los alimentos de origen animal y en algunos de origen vegetal, como el aceite de palma, el coco y el aceite de coco.

Insulina

Hormona pancreática encargada de transportar las moléculas de glucosa desde el torrente sanguíneo hasta las células.

Mamas fibrocísticas

Bultos benignos y dolorosos en las mamas que son más patentes en los días previos a la menstruación.

Menopausia

Término que suele intercambiarse con el de *perimenopausia* y que marca la «pausa» de los «menstruos» o el último ciclo menstrual. Los síntomas de la menopausia se incluyen en la definición de perimenopausia.

Metabolismo

La velocidad a la que el cuerpo utiliza las calorías para funcionar a diario. El metabolismo puede variar cada día, es más activo durante las primeras doce horas del día y aumenta con el ejercicio y el incremento de la masa muscular.

Neuropéptido Y

Sustancia química cerebral que estimula los antojos de carbohidratos y que generalmente es liberada en las primeras horas de la mañana.

Neurotransmisores

Cualquier sustancia química del cerebro que transmite mensajes concretos de una neurona a otra.

Núcleo supraquiasmático
Un especial dispositivo de relojería del cerebro que coordina todos los procesos del organismo y sincroniza los ritmos biológicos.

Ola de endorfinas
Incremento notable de los niveles de endorfinas en el cerebro de la mujer durante el lapso de las cuarenta y ocho horas de la ovulación, que ejerce un efecto positivo sobre el estado de ánimo, la energía y el impulso sexual.

Osteoporosis
Pérdida prematura de los minerales óseos que da una consistencia porosa y menos densa a los huesos y los hace más proclives a la fractura.

Perimenopausia
Término utilizado para describir la transición hacia la menopausia (que puede durar de seis meses a quince años), durante la que descienden los niveles de estrógeno originando una serie de cambios físicos y psicológicos tales como aumento de peso, accesos repentinos de calor, insomnio, depresión, ansiedad, falta de memoria y antojos más pronunciados.

Posmenopausia
Término utilizado para describir los años posteriores al cese de la menstruación en una mujer.

Premenopáusica
Término utilizado para describir a las mujeres por

su capacidad reproductora antes de la transición hacia la menopausia.

Premenstrual

Término utilizado para describir las dos últimas semanas de cada ciclo menstrual mensual, desde la ovulación al primer día de flujo de sangre.

Quimiorreceptores

Detectores del gusto situados en las papilas gustativas, encargados de enviar mensajes al cerebro para determinar la palatabilidad de la comida.

Radicales libres

Productos residuales inestables del metabolismo celular que desatan una reacción en cadena dañina para las células y que puede incrementar el riesgo de enfermedades del corazón y de ciertos cánceres.

Retirada de endorfinas

Cambios anímicos negativos asociados con un descenso significativo de los niveles de endorfina cerebral.

Ritmos biológicos

Fluctuaciones diarias, mensuales y anuales del metabolismo, las hormonas y las sustancias químicas del cerebro que regulan la vigilia y el sueño.

Serotonina

Sustancia química cerebral que comunica serenidad

y estabilidad de ánimo. Los carbohidratos, la luz del sol y ciertas hormonas tienen un efecto positivo sobre los niveles de serotonina del cerebro.

Síndrome premenstrual (SPM)

La recurrencia cíclica de cambios físicos y psicológicos entre benignos y moderados que comienza tras la ovulación y se intensifica pocos días antes del menstruo. Entre sus síntomas están la depresión, la irritabilidad, los dolores de cabeza, la retención de líquidos, la sensibilidad en las mamas y los antojos de comida.

Sustancias fitoquímicas

Agentes naturales que combaten la enfermedad, están presentes en las frutas y las verduras y pueden ayudar a eliminar sustancias nocivas y a reducir el riesgo de cáncer.

Testosterona

Hormona sexual masculina responsable de las características sexuales, de la mayor masa muscular masculina y de la libido.

Hormona esteroide masculina producida por los testículos, responsable de la mayor masa muscular masculina y de la libido.

ÍNDICE

Agradecimientos 7

Introducción. ¡¿Que las mujeres necesitan *qué*?! 11

1. **El don de Eva: los antojos femeninos** 23
   ¿Por qué las mujeres? 25
   ¿Por qué precisamente el chocolate? 31
   SPM: síndrome premenstrual 35
   Menopausia: vigorizar la mente 39
   Si las mujeres necesitan chocolate, ¿qué necesitan los hombres? 44
   El don de Eva 45

2. **Reglas alimentarias de la sociedad = blues femenino** 47
   Los mal llamados alimentos «prohibidos» 49
   La abstinencia intensifica el antojo 55
   Dietas de adelgazamiento y turbulencia cerebral . . 56
   El concepto tradicional de alimentación equilibrada no equilibra el estado anímico femenino 58
   Sólo para mujeres: reglas de alimentación nuevas y perfeccionadas 61

3. **El plan *ON*: *Ó*ptima *N*utrición para la mente y el cuerpo** 65

Los principios del placer de comer 68
Las cinco fases de la óptima nutrición para la mente y el cuerpo 71
¿Me ayudará este Plan a perder peso? 75
¿Está preparada para el plan **ON**? 77

4. **Fase 1: confíe en sus antojos** 87
Una vez que empiece a comer, *puede* parar 88
No ganará peso 94
Será una dieta sana 98
Podrá identificar un antojo biológico 104
Semana 1: Plan de Acci**ÓN** 111

5. **Fase 2: descubra los alimentos que le proporcionan placer** 115
Fécula: la eterna compañera del cerebro 116
Azúcar: una relación agridulce 122
Grasa: una amiga pesada 128
Chocolate: suprema felicidad cerebral 134
Proteína: una camarada ocasional 140
Sal: aliada de la premenstruación 144
Semana 2: Plan de Acci**ÓN** 150

6. **Fase 3: aprenda a comer buscando la máxima satisfacción** 155
Los secretos de la satisfacción de las papilas 156
Los secretos de la satisfacción del estómago 161
Los sucedáneos no satisfacen 166
Competición entre alimentos y estado de ánimo .. 168
Comer en exceso sobrecarga el cerebro 171
Semana 3: Plan de Acci**ÓN** 174

7. **Fase 4: distribuya las comidas para conseguir el mejor estado de ánimo posible** 179
Cinco pequeñas comidas y un gran provecho 181
Estabilizar los desestabilizadores 188

De las 10 a las 16 horas: decir que «sí» a los antojos 195
La cena no es tan importante 197
Semana 4: Plan de Acci**ÓN** 203

8. **Fase 5: siga su rutina de alimentación óptima** .. 207
Alimentación óptima para los ritmos diarios 209
Utilizar los alimentos en provecho de los ritmos: mensual y anualmente 221
Cuando el cerebro está en tensión 228
Semana 5: Plan de evaluaci**ÓN** 237

9. **El ejercicio en el Plan *ON*: la fórmula para estar en forma** 245
Ejercicio, endorfinas y LSD 249
La fórmula para quemar las grasas femeninas 255
Ejercicios recomendados para quemar grasas 257
Superar la aversión al ejercicio 263
Elabore su propio programa de ejercicios 266

10. **Alimentación para toda una vida de bienestar** .. 271
Encuéntrese bien hoy, tenga la salud mañana 272
Empollando la osteoporosis 275
Llegar al fondo del cáncer de mama 280
Más allá del chocolate: otros benefactores de ánimo 291
Alimentos para todas las necesidades: cerebro, cuerpo, mamas y huesos 292
El don de Eva 295

Glosario 297

Debra Waterhouse imparte conferencias y talleres de formación sobre el tema. Si está interesada en recibir información o desea compartir sus experiencias en el Plan **ON** acerca de los conocimientos adquiridos sobre antojos, cambios de humor, nivel de energía, control de peso y bienestar general, estaremos encantados de recibir noticias suyas. Envíe, pues, sus comentarios a la siguiente dirección:

Debra Waterhouse
6114 LaSalle Avenue
Box #342
Oakland, CA 94611
Estados Unidos

Impreso en ROTAPAPEL, S. L.
Calle D, núm. 14. Polígono Arroyomolinos
Móstoles (Madrid)